Mamzelle Libellule
dragonfly

1. Adelise at home, loves garden.
2. Goes to town lady, finds aunt & stays with her.
3. Need money, so works in fields. Raped / groomed by white men.
4. Goes back to mother.
5. Tries to have French lessons, but kicked out.
6. Adelise likes Homère in bar.
7. Riots for "carnaval"/elections. whites vs. black people.
8. Césaire for president. His speech.
9. Adelise is pregnant
10. Loses baby.
11. Leaves for France.
12. Homère dies.

Raphaël Confiant

Mamzelle Libellule

roman

Traduit du créole par l'auteur

motifs

Collection Motifs

MOTIFS n° 110

Illustration de couverture : © Karen Petrossian,
Olivier Mazaud, Bernard Perchey

Première publication : Presses Universitaires Créoles
sous le titre *Marisosé*, 1987.

N° ISBN : 2-84261-212-4

À PROPOS DE L'AUTEUR

Né le 25 janvier 1951 en Martinique, Raphaël Confiant est l'auteur de plusieurs romans en langue créole entre 1979 et 1988. Son premier roman en français, *Le Nègre et l'Amiral* (Grasset), en 1988, obtient le prix Antigone et le second, *Eau de Café*, le prix Novembre en 1991.

Fondateur avec Patrick Chamoiseau du mouvement littéraire de la créolité, Raphaël Confiant est également essayiste.

CHAPITRE I

*E*NTRE L'ARBRE et moi s'établissaient de grands causers.

Chaque jour, dès que je parvenais à grappiller une miette de temps, je m'échappais derrière la case et m'en allais l'embrasser tout au fond du jardin. Je le serrais contre ma poitrine, mon cœur vacarmant contre son écorce jusqu'à ce que je sois en proie à une sorte d'endormissement. Il m'arrivait parfois de demeurer dans cette posture jusqu'à deux heures d'affilée, l'arbre et moi comme enveloppés, ne faisant plus qu'un seul corps, une seule chair et c'est la voix criarde de ma mère qui m'extrayait de ce bain de doucine.

« Adelise ! Ohé, Adelise, approche donc !

— Comment ?

— Viens donc donner à manger aux cochons,

ma fille, la noirceur ne tardera pas à couvrir la terre. As-tu déjà changé Jaraud de piquet ? »

Alors, j'entreprenais de caresser avec passion les nervures de l'arbre quand bien même elles m'écorchaient les lèvres. Je l'embrassais à nouveau avant de rentrer, d'un pas nonchalant, vers la maison comme si je m'en revenais d'une simple promenade. Je n'avais cesse d'interboliser ma mère afin qu'elle me révélât le nom de l'arbre mais elle s'y refusait. Sans doute l'ignorait-elle tout autant que moi et avait quelque honte à l'admettre, elle qui pourtant s'évertuait à m'expliquer les mille et un détours de l'existence, lorsqu'à la brune du soir, elle s'offrait un petit balancer dans sa dodine, sur notre véranda. Nous n'allumions pas encore la lampe et nos regards étaient rivés tantôt sur le chemin de pierres où passaient des muletiers affairés tantôt sur la crête des mornes dont l'ombre gigantesque semblait recouvrir presque la campagne.

« Ma fille, murmurait ma mère, qu'as-tu fais aujourd'hui ? Il faut que tu apprennes chaque soir à calculer sur toutes les choses que tu t'étais promis d'accomplir dans la journée, et si d'aventure tu en as réussi une seule à la perfection, eh ben tu peux laisser le contentement s'emparer de toi. La vie, c'est ce qu'elle nous enseigne... »

Elle ôtait son madras usagé de ses cheveux et le tortillait à-quoi-dire une papillote entre ses doigts cannis. J'étais assise à ses côtés, par terre, attentive à l'aller-venir de la berceuse. Je pensais au contraire qu'une journée venait de s'écouler, une autre journée dans le déroulé du temps, sans que je sois parvenue à percer l'identité de mon arbre. Dès le lendemain, comme chaque matin, je me précipiterais afin de l'embrasser, je cueillerais quelques-unes de ses petites fleurs blanches, je humerais leur odeur avant de les avaler d'un geste goulu. Je ne les gardais plus sur moi depuis que ma mère en avait découvert plusieurs à l'en-bas de mon oreiller. Dès lors, elle m'avait interdit de les rapporter à la maison.

« Des fleurs du diable ! bougonnait-elle.

— Maman, ce n'est pas vrai. Qui te l'a dit ? Ne prétends-tu pas ignorer le nom de mon arbre...

— Ton arbre ? Depuis quand possèdes-tu un arbre à toi ? éclatait-elle de rire, bien que son visage fût barré de mille plis. Tu ressembles vraiment à ta tante Philomène ! Plus je t'observe, plus il m'arrive de penser que vous êtes faites de la même pâte. Vous refusez d'admettre que la vie n'est pas un jeu, vous êtes semblables à des libellules qui frétillent des ailes par-dessus les nénuphars...

— Je ne joue point, maman.

— Paix-là ! Paix ! Je ferai venir maître Félicien pour qu'il coupe cet arbre, tu verras. »

J'étais allée voir le forgeron de Rivière-Lézarde en cachette afin de le supplier de ne pas toucher à mon amant. Lui aussi, il fut secoué de rire, me lançant :

« Mais qu'est-ce qui peut bien rouler dans l'esprit d'une jeune mamzelle de dix-sept ans comme toi ? C'est bien ton âge, n'est-ce pas ?

— J'ai seize ans et quatre mois…, avais-je bégayé.

— Cet arbre-là n'est d'aucune utilité, jeune fille. Tu m'aurais parlé de quelque manguier ou corossolier que j'aurais compris ta préoccupation, mais un arbre de ce genre ! Un arbre qui ne possède même pas de nom.

— Je connais son nom ! » m'étais-je écriée, prétentieuse à souhait.

Puis, lui tournant le dos, je me mis à marcher-marcher-marcher jusqu'au quartier Glotin où nous habitions, ma mère et moi. Il s'agissait d'un petit bout de campagne où les bambous levaient à foison dans les ravines et où, parfois, lorsque la saison d'hivernage avait pris ses quartiers, il fallait faire très attention à ne pas heurter quelque bête-longue [1]. Les savanes étaient, pour leur part, envahies par les champs de canne à sucre, champs qui étaient la propriété d'un Grand Blanc originaire de la ville du Lamentin. Ma mère besognait dans l'un d'eux. Son travail consistait à amarrer des piles de canne coupée, en compagnie de nombreuses autres négresses, debout roides, au beau mitan de la danse féroce du soleil, sans que le commandeur [2] leur baillât ne serait-ce que deux francs et quatre sous de repos.

Au commencement de la récolte, ma mère se rendait aux champs bien avant le chanter de l'oiseau-pipiri pourtant si matineux, me laissant seule dans la case à dormir sur mon grabat. Je savais qu'à mon réveil, un bol d'eau de café m'attendrait, caché sous une demi-calebasse, sur les deux planches qui avaient été clouées à même le ventre d'un arbre à pain, derrière la maison, celles-ci constituant en tout et pour tout notre cuisine. C'est à cet endroit que nous attachions Mouchache, le chien blanc qu'un homme d'En-Ville avait offert à ma mère il y avait quelques années de cela. Mon bol d'eau de café aussitôt bu, j'empoignais mon pot de chambre d'Aubagne rempli de pissat, dans un coin de la chambre, et montais à la rencontre de mon arbre. Le jour s'ouvrait peu à peu et le soleil dispersait de grandes raies de lumière à travers le ciel, semblables à des chevaux-à-trois-pattes [3]. La rosée me faisait frissonner au plus profond de mes membres. Je renversais alors le contenu du pot de chambre à la racine de l'arbre jusqu'à ce qu'elle soit submergée d'écume jaune. On aurait alors juré que l'arbre retrouvait une nouvelle vigueur, ses branches se redressaient et son écale se teintait d'un beau marron tendre. Je l'interpellais, hiératique, ma chemise de nuit ballottant sous l'emprise du vent coulis qui surgissait de l'en-bas de Rivière-Lézarde :

« Hier soir, j'ai rêvé que j'étais partie loin, fort loin. J'avait pris la route toute seule, sans un sou en poche, sans posséder la moindre adresse. Sur mon chemin, j'ai rencontré un vieil homme qui m'a mise au défi de lui révéler son âge et qui s'est mis à ricaner tel un coq d'Inde. Il était vêtu d'un vieux short abîmé et avait le buste nu. Il me répéta :

"Petite espiègle, saurais-tu l'âge qu'a ton père ?

— Quatre-vingt-dix ans, papa !

— Absolument pas !

— Quatre-vingt-dix-sept ans, papa… »

Alors le vieil homme me fixa dans le beau mitan des yeux et c'est à ce moment-là que je pris conscience qu'il n'avait pas de prunelles : deux trous vides lui perçaient la tête. Je m'escampai aussitôt, empruntant des chemins de traverse, et parvins à une grande ville que n'habitait pas le moindre chrétien-vivant. Il était aux approchants de midi mais les rues semblaient être figées sous la hargne du soleil depuis des siècles de temps. J'eus si peur que je me mis à hurler à-moué à-moué et c'est ainsi que je me réveillai du rêve… »

L'ombrage de mon arbre frémissait comme pour me demander de cesser de bailler des menteries. Ah, comme il connaissait les moindres cachettes de mon esprit ! Même ma mère, il m'arrivait de la couillonner en certaines occasions mais lui, mon arbre, jamais ! Toutefois, il savait qu'en moi bouillonnait l'envie de bavarder, il n'ignorait pas que les paroles se bousculaient pour jaillir sur ma langue et il n'intervenait aucunement pour m'obliger à coudre ma bouche. Et je ne parvenais à me taire qu'à l'instant où d'autres enfants du voisinage venaient me proposer de lancer des cerfs-volants. J'étais peu habile à tenir la corde de ces derniers, même si j'étais fascinée par leurs couleurs étonnantes et les tourner-virer de leurs queues presque à hauteur des gros nuages blancs. Or, un jour, un garnement me demanda de s'occuper de son cerf-volant pendant qu'il grimpait à un manguier-bassignac afin de désentraver celui de son frère. Tandis qu'il montait de branche en branche, il m'exhortait de la sorte :

« Actionne la bobine ! Allez, bobine-moi ce cerf-volant, s'il te plaît ! »

J'étais si empotée que je fis une fausse manœuvre, ce qui brisa net la corde du cerf-volant. La marmaille en fut survoltée :

« Cerf-volant, reviens ! Ohé, cerf-volant ! » s'écria-t-elle.

Mais Cerf-Volant ne dévira jamais de route. Il se perdit telle une fleur de lumière sous les coups de harpon du soleil. Son propriétaire fut saisi par une colère sans nom. Arrachant le restant de la corde d'entre mes doigts, il me hurla :

« Ma langue n'est sûrement pas aussi prophétique que celle du cabri, mais sache que ta vie sera exactement pareille à celle du cerf-volant que tu viens de perdre ! »

Je lui ris au nez avant de m'enfuir chez ma mère, insoucieuse de ses menaces puisque mon arbre était toujours là et qu'il demeurait le centre de mon existence. J'avais appris, au fur et à mesure, à reconnaître ses plus ténus remuements que j'interprétais à haute voix. Quand je commettais quelque erreur, ses petites fleurs blanches prenaient un goût amer sur ma langue et me brûlaient la gorge. J'ai toujours espéré qu'un jour ou l'autre, il me poserait une question mais il ne faisait que m'écouter, l'air de celui qui sait tout de ma personne. Cette attitude m'irritait si fort qu'une nuit où la lune était claire, je rampai sur le plancher, ouvris la porte de la case, sortis au-dehors et avançai dans le jardin, heurtant des souches d'arbres tandis que des lianes me lacéraient la figure. Je n'étais habitée que par une seule et même idée : avancer et toujours avancer. Bien que je fusse très effrayée à la perspective de rencontrer un zombi, mes yeux cherchaient à déceler mon arbre dans l'obscurité maléfique, insensible à toute autre chose. Des lucioles jouaient à la poursuite au-devant de mes pas. Des grillons cognaient sur la peau de tambour de la nuit. Et enfin, je découvris mon arbre en train de se dévêtir de ses vieilles fleurs et d'en fabriquer de nouvelles, tout cela dans une sorte de roulis qui semblait hypnotiser les autres arbres qui l'entouraient. On aurait dit que le corossolier et les deux pieds de pois-doux, qui étaient les plus proches de lui, avaient cessé irrémédiablement de vivre, comme si le fil de leur cœur s'était distendu.

J'observai cette métamorphose très longuement, puis la lune disparut avec brusquerie derrière les nuages et mon arbre me demanda :

« Qu'es-tu venue chercher ici, jeune fille ? Ma vie ne te suffit pas, il faut en plus que tu t'abreuves de ma mort. Tu es aussi insatiable que la mer ou quoi ?

— Par... pardon. Je vous demande pardon. C'est que j'ai un secret à vous confier...

— Un secret ? répondit l'arbre d'un air ahuri. Si tu me le révèles, ce ne sera plus un secret, tu le sais bien. Mes racines plongent jusqu'au giron de la terre et rejoignent celles des autres arbres et nous ne faisons qu'une seule pensée. Il ne m'est pas possible de garder ton secret, ma fille. »

Je me suis donc agenouillée au pied de mon arbre, j'ai collé ma tête contre son écorce et me suis mise à pleurer à chaudes larmes. J'ai pleuré toute l'eau de mon corps. Quand je m'aperçus que j'allais être surprise par le devant-jour car des coqs s'étaient déjà mis à cocoriquer, je lui murmurai :

« Arbre ! Arbre, si tu m'aimes vraiment, tu te dois d'écouter mon secret. Le voici : je m'en vais mourir à l'âge de trente ans... »

CHAPITRE II

LE JOUR MÊME où Adelise débarqua au Morne Pichevin, un gros grain de pluie était en train de s'abattre sur la ville. Des nuages haut pendus chutaient avec fracas, enveloppant les rues étroites, les maisons à étages et les passants qui se dépêchaient de se rendre à leur travail.

Adelise fit la découverte de Fort-de-France à travers les vitres du camion en bois rouge qui permettaient aux marchandes de légumes du Gros-Morne et de Saint-Joseph d'arriver à la Croix-Mission avant le lever du jour. Elle aurait pu attendre l'autobus qui passait un peu plus tard dans la matinée mais sa mère désirait qu'elle aille trouver sa tante de bonne heure. N'ayant pas averti sa sœur, elle craignait que cette dernière n'eût déjà gagné le port où seuls les premiers arrivés étaient sûrs d'obtenir un petit job pour la journée.

Les passagers se précipitèrent pour s'abriter sous les galeries des magasins qui bordaient la Croix-Mission. Adelise empoignait fermement sa petite valise noire, se demandant quel chemin elle devait emprunter. En face d'elle, il y avait un cimetière où quelques bouquets de fleurs fanaient sur des tombes qui ressemblaient à de véritables maisons tant elles étaient belles.

La pluie avait soulevé une odeur de moisi sur la ville, chose qui angoissa Adelise. Une marchande qui avait voyagé à ses côtés dans le camion lui demanda :

« Tu attends quelqu'un ?

— Ma… ma maman m'a envoyée chez sa sœur…

— Bon Dieu-Seigneur-la Vierge Marie ! Tu me sembles perdue, mon enfant. Ta mère t'a expédiée en ville comme ça, sans personne pour t'indiquer où aller ? Je ne peux pas le croire !

— Je dois me rendre au Morne Pichevin », balbutia Adelise.

La vieille femme se mit à rire, elle ôta son mouchoir de tête et le tordit afin d'en ôter l'eau de pluie. À ses pieds, son panier était hermétiquement recouvert à l'aide d'un morceau de toile en plastique. Elle réajusta sa coiffure d'une manière élégante, scruta le ciel avant d'avertir Adelise :

« À sa façon de tomber, j'ai l'impression que cette salope de pluie n'est pas prête à s'arrêter. Tu devrais faire ton chemin au lieu de demeurer à l'abri toute la sainte journée. Et puis tout à l'heure, les eaux du canal commenceront à déborder et les trottoirs seront dévastés en un battement d'yeux. »

Elle allongea un doigt en direction de la Croix-Mission, conseilla à Adelise de remonter ce qu'elle appela "La Levée" jusqu'à ce qu'elle atteigne un pont et, à ce niveau-là, il suffisait de tourner sur la gauche pour déboucher au Morne Pichevin. Elle s'approcha d'Adelise, la gratifia de deux baisers sonores sur les joues bien qu'elle ne la connût ni d'Ève ni d'Adam et lui fit :

« Mon enfant, baille à ta vieille maman un coup de main, s'il te plaît.

— Bien sûr, maman. »

Les deux femmes conjuguèrent leurs forces pour soulever le panier de légumes. La vieille femme l'accora sur l'une de ses épaules avant de le projeter sur sa tête, tout cela dans le même ballant.

« À la revoyure, ma fille. Ne te décourage pas !

— Merci, maman.

— Quel que soit le jour où tu aurais besoin de quelque chose, viens me voir au marché aux légumes. Tu n'auras qu'à demander pour Mme Tidiane. »

En vérité, la pluie n'accordait aucune chance aux passants. D'ailleurs, plus personne n'était prêt à attendre une quelconque embellie. Se protégeant la tête à l'aide d'un sachet, d'un morceau de papier ou de leur sac, chacun s'enfermait dans sa chacunière. Certains observaient Adelise d'un air curieux, surtout les hommes. C'est de là qu'elle prit la décision de se secouer un peu. Une automobile passa à grande vitesse et voltigea des éclaboussures sur la robe d'Adelise sans même daigner s'arrêter. Un juron demeura bloqué au fond de la gorge de la jeune fille.

Ainsi donc elle entreprit de remonter le boulevard de La Levée sans s'inquiéter de la pluie puisque ses vêtements étaient déjà largement trempés. L'averse tenait toujours la ville sous son emprise et elle avait beau coquiller le grain de ses yeux, il lui était impossible de distinguer quoi que ce soit de ce qu'elle avait souvent imaginé du fond de sa campagne du Gros-Morne. Plus elle avançait, plus il lui semblait avoir de la route à faire. Le boulevard de La Levée avançait tout droit telle une flèche plantée dans le ventre même de la ville. À hauteur du pont, elle sursauta. Un énorme bateau avait l'air de s'être enraciné au beau mitan des maisons, sa proue touchant presque leurs toitures, et sa cheminée rouge et noire leur servait quasiment de chapeau-bakoua. Adelise demeura figée sur place un long moment, tout à fait incrédule, parce que c'était la première fois qu'elle voyait un paquebot et surtout ce n'était pas ainsi, coincé entre des haies de maisons, pareil à un crabe-mantou enfermé dans un piège, qu'elle les imaginait. Dans les magazines féminins qu'elle achetait à la boutique de Mme Sélénice, au quartier Glotin, on vous montrait de splendides paquebots peints en blanc qui se pavanaient sur une mer uniformément bleue.

Elle se dirigea sur la gauche pour monter au Morne Pichevin quand deux jeunes nègres lui barrèrent la route, l'un d'eux l'apostrophant :

« Hé pouffiasse ! Écoute donc ! Hé, je te cause. Comment tu t'appelles ?

— …

— Ha ! Ha ! Ha ! Tu te rends compte, Rigobert, cette pouffiasse garde la bouche cousue. Une si jolie petite bouche. Quel dommage ! »

Puis il saisit Adelise par l'épaule et se mit à la caresser. La jeune fille fut fortement émotionnée et ne sut quoi faire : prendre ses jambes à son cou, se mettre à pleurer, hurler pour que le voisinage lui vienne en aide ou foutre au nègre un coup de mallette dans la poitrine. Mais au lieu de réagir, elle demeurait immobile comme un pantin de carnaval et laissait les voyous lui faire des attouchements.

« Cesse d'embêter la petite demoiselle ! déclara celui que l'autre avait appelé Rigobert.

— D'accord, mais avant, faut qu'elle nous dise où elle va. »

Il ôta une jambette (4), la fit tournoyer dans ses mains avec une habileté qui surprit Adelise. Ils ne ressemblaient pas à des mauvais bougres (« Peut-être n'ont-ils que l'apparence de gens de bien », songea Adelise) mais leurs pantalons étaient en haillons et leurs chemises étaient aussi sales que des torchons de pieds. Bien qu'ils fussent très jeunes, il leur manquait pas mal de dents et celui qui lui avait barré la route arborait une mauvaise barbe qui ne parvenait pas à masquer tout à fait l'estafilade au

21

rasoir qui sinuait sur sa joue droite. Reprenant un peu de courage, Adelise répondit :

« Je me rends chez ma tante, au Morne Pichevin.

— Aaaah ! Tu vas au Morne Pichevin, s'écria le type à l'estafilade. Mais c'est chez nous, ça ! Eh ben-eh ben-eh ben, si on avait su, on t'aurait pas emmerdée comme ça. Mille excuses de t'avoir traitée de pouffiasse tout à l'heure.

— ...

— Tu emprunteras les quarante-quatre marches que tu vois là-bas, lui indiqua Rigobert. Tes jarrets s'y habitueront quand tu y seras passée deux ou trois fois. Tu vas chez qui ?

— Chez ma tante, dit Adelise. Mlle Philomène. Vous la connaissez ? »

Les deux bougres éclatèrent de rire et lui firent au revoir. Ils se dirigèrent à l'endroit où le paquebot semblait coincé. Aussitôt qu'Adelise posa le pied sur la volée de marches qui montaient à pic, elle sentit qu'elle pénétrait dans un univers différent de celui de La Levée, de la ville, bien qu'elle fût ignorante de tout ce qui concernait Fort-de-France. Des buissons d'épineux et des goyaviers environnaient les quarante-quatre marches et le sol autour d'eux était jonché de boîtes vides, de bouts de fer rouillé et de toutes espèces d'ordures. De temps à autre, Adelise apercevait une petite cahute fabriquée avec de la tôle de fût d'huile ou de fibrociment, tout cela ligoté à des planches. Plus elle avançait, plus les buissons s'épaississaient. On aurait cru se trouver en pleine campagne.

Au terme des quarante-quatre marches, Adelise découvrit un vaste plateau fourmillant de petites cases construites les unes sur les autres, dans le plus parfait désordre, traversé par un sentier de boue dans lequel se vautraient des grappes de cochons. Des poules et des canards se promenaient un peu partout dans un grand vacarme en dépit de la pluie qui ne cessait de s'abîmer sur la tôle des cases. Où se trouvaient les habitants du Morne Pichevin ? Les cases étaient soigneusement closes et il était douteux qu'ils fussent à l'intérieur en train de se protéger de la pluie. Adelise ôta ses espadrilles et avança dans la boue, attentive à ce que ses orteils ne heurtent pas de roche. À un moment, elle entendit :

« Adelise ! Ade-li-i-i-i-se ! »

Elle s'arrêta et jeta un regard circulaire sans voir la personne qui venait de prononcer son nom. Toutes les portes et les fenêtres étaient encore fermées. Elle se retourna, scruta les alentours et ne découvrit toujours rien. Elle héla :

« Tatie, où tu es ? Tatie ? C'est Adelise, ta nièce, qui est venue te voir...

— Que m'as-tu apporté ? demanda la même voix âcre sans qu'Adelise parvienne à la situer.

— Maman t'a envoyé des ignames et des mangues-zéphirines, de bonnes ignames portugaises...

— Des ignames ! Des ignames ! Qu'est-ce que je fous avec des ignames ? fit à nouveau la voix. Jamais il ne vous est venu à l'idée de m'apporter une bonne bouteille de tafia, bande d'inutiles ! »

À cet instant-là, Adelise se rendit compte que sa tante était allongée dans un assemblage de planches et de tôles trouées qui avait l'air d'un parc à cochons. La jeune fille fit quelques pas, étonnée et gênée tout à la fois par un tel spectacle. Sa tante se trouvait bien devant elle, les cuisses aussi largement ouvertes que la célèbre fenêtre de Mme Périnelle [5], se débattant dans un amas de feuilles mortes et de boue.

« J'étais en train de chercher un de mes petits cochonnets qui est né hier matin, ma fille.

— Bonjour, tatie…

— Ici, si t'es pas sur tes gardes, les gens peuvent te voler la culotte que tu portes sur toi sans que tu t'aperçoives à quel moment ! »

Elle s'extirpa du parc à cochons, s'agenouilla dans le chemin et se mit à uriner un liquide épais et jaune. Adelise n'arrivait pas à comprendre pourquoi elle ne portait rien sous sa robe, laquelle était à moitié déchirée en plus et laissait voir une partie de sa croupière.

« Bon, puisque c'est tout ce que tu as porté, je le prends. Que veux-tu ! » lâcha-t-elle d'un ton désinvolte.

Ce n'est qu'au moment où elle se redressa qu'Adelise reconnut le beau brin de câpresse qui se rendait parfois à Glotin à Pâques ou à Noël, les bras chargés de cadeaux. Il y avait un bon nombre d'années qu'elle n'était pas venue faire un tour à la campagne et Adelise trouvait que son visage avait beaucoup changé. Il avait vieilli, dix mille plis lui

barraient le front et, à certains moments, les com-
missures de ses lèvres semblaient s'affaisser sur son
menton. Seule sa membrature, ce beau corps élancé
qui était le sien, gardait une manière de vigueur.
Elle saisit Adelise par le bras et l'entraîna avec elle.
Quand elles parvinrent au seuil de sa case, elle lui
demanda :

« T'es vierge ?

— Quoi ?

— J' t'ai d'mandé si t'es une jeune fille encore
vierge ? lui redemanda sa tante en riant.

— Oui… oui, tatie…

— Aaah ! Bravo ! Bravo ! » fit-elle en dansant
presque tellement elle était ravie.

À l'intérieur de la case, il faisait nuit noire. Il n'y
avait qu'un seul auvent qui donnait directement sur
une case voisine, quand Philomène avait eu le
temps de l'ouvrir avant que le propriétaire de cette
dernière ne s'avisât d'en faire autant. En effet, les
deux auvents ne pouvaient s'ouvrir en même
temps. Les cases du Morne Pichevin n'étaient sépa-
rées que par de si étroites ruelles qu'on devait
avancer de travers comme des crabes-ceriques
lorsqu'on y passait. La case de Philomène ne possédait qu'une seule et unique pièce séparée en deux
par une toile chiffonnée, suspendue aux deux ex-
trémités de la poutre centrale

« Je dors ici », fit-elle à Adelise, en désignant un
lit en fer recouvert d'un matelas bleu. « Tu t'instal-
leras par terre pour ce soir. Demain si Dieu veut, on
avisera pour t'acheter un lit.

Auntie is Christian?

— Ma mère m'a baillé de l'argent…

— Bof ! Des clopinettes, je parie. Qu'est-ce que je vais en faire ? T'es désormais à Fort-de-France, ma fille, ici, la moindre tête d'épingle coûte les yeux de la tête. Mais, au fait, j'oubliais : t'es descendue en ville pour quoi faire ? »

Adelise ne savait que répondre. Elle tenait toujours sa mallette à la main et sa robe humide commençait à la faire frissonner. Elle fut saisie par une brusque envie de jaillir au-dehors, de descendre quatre à quatre les quarante-quatre marches, de remonter le boulevard de La Levée jusqu'à la Croix-Mission et de rembarquer à bord du camion des marchandes de légumes. Ces pensées lui traversèrent l'esprit en un rien de temps mais elle-même demeurait clouée sur place, droite comme un piquet, subissant le regard globuleux de la saoularde.

« T'es venue faire quoi en ville ? répéta-t-elle.

— Maman… Maman m'a envoyée à toi, murmura Adelise.

— Ta maman t'a envoyée à moi ! Mais elle est folle à lier, cette femme. Qu'est-ce qu'elle s'imagine ? Que la vie d'ici est aussi facile à avaler qu'un bol de toloman [6] ? Qu'il suffit de débarquer avec ses gros souliers pour que tout s'arrange impeccable ? »

Ce n'est que lorsque sa tante remarqua qu'Adelise pleurait qu'elle lui demanda d'ôter ses vêtements. Elle lui prêta une robe élégante en soie verte qui était ornée de petits boutons dorés et de paillettes qui scintillaient comme des lucioles. La robe puait une odeur de parfum qui souleva le cœur d'Adelise parce que celle-ci était mélangée à d'autres odeurs que la jeune fille n'arrivait pas à identifier.

« Je l'ai mise hier soir, expliqua la tante. C'est pour ça qu'elle sent la sueur. Tu trouves qu'elle pue ?

— Non-non ! fit Adelise en secouant la tête.

— J'ai un reste de poulet, t'en veux ? Je vais éplucher deux ou trois carottes tout de suite pour l'accompagner.

— Merci, tatie », répondit Adelise en s'asseyant sur l'unique chaise de la case.

Lorsque sa tante sortit à la recherche d'un peu d'eau, Adelise examina les lieux, cherchant à s'habituer à l'endroit où elle vivrait dorénavant. Elle aperçut un alignement de bouteilles de tafia et de bières vides dans un coin. Dans un autre coin, elle distingua deux petites étagères où sa tante avait assemblé quelques verres, des assiettes et des courses. Les parois de la case étaient toutes trouées à cause des poux-de-bois et c'est à cela qu'elle vit que le soleil était revenu. Sa tante se montrait gaie à présent comme si c'était l'averse de tout à l'heure qui avait assombri son humeur. Elle bavardait comme une crécelle, lui demanda des nouvelles de tous les voisins de la campagne, baillant à Adelise des conseils pout éviter les attrapes de la vie citadine, etc. Adelise l'observait et se disait en son for intérieur :

« Quelle femme superbe ! »

Bien que sa tante approchât de la quarantaine,

sa belleté pouvait réduire à néant celle de n'importe quelle jeunote. Quand Adelise pensait à sa mère, qui s'était usé les os dans les champs de canne à sucre du Blanc, et qu'elle la comparait avec sa tante qui avait pris la vie à la roue libre, elle n'arrivait pas à concevoir que la première fût la plus jeune. Sa mère était devenue presque une vieille femme alors qu'Adelise était dans l'éclat de sa maturité.

La nuit de ce fameux jour, Adelise était couchée à même le plancher, enveloppée dans une couverture, cherchant un sommeil qui la fuyait, lorsqu'elle vit sa tante se lever, se vêtir de la robe verte qu'elle lui avait prêtée, se lotionner, se farder les lèvres, se lâcher ses cheveux de câpresse sur les épaules, s'attacher des souliers à talons hauts rouges et s'éclipser sans faire de bruit.

Adelise ne parvint pas à dormir une seule seconde au cours de cette nuit-là. Chaque fois qu'elle était sur le point de s'embarquer dans le sommeil, sa tante rentrait avec un homme. Ils s'affaissaient sur le lit en fer et faisaient l'amour avec brutalité. Sans s'embrasser, sans prononcer un traître mot, sans minauder. Seul l'homme poussait un grognement de satisfaction, digne d'un mulet, au moment de la jouissance...

CHAPITRE III

NOTRE CORPS n'appartient qu'à nous.
C'est ce que je crois. Notre corps n'appartient qu'à nous parce que nous sommes les seuls à y sentir les oscillations de l'existence. Mais, à bien regarder, mon corps ne fut jamais mien et cela dès le tout début, c'est-à-dire dès l'époque où, fillette espiègle qui aimait à se promener au fond du jardin, j'en vins à découvrir mon arbre. Je n'ai toujours nourri qu'une certitude et une seule : mon corps appartenait tout entier à cet arbre.

Lorsque, vers l'âge de quatorze ans, ma mère décida de me plonger dans l'enfer des champs de canne, à ses côtés en fait, le travail qui m'était imparti était peu fatigant : ramasser les cannes oubliées par les amarreuses [7] afin de les assembler pour en faire des piles — cela ne m'effraya guère.

Nous autres, les petites-bandes [8], nous nous trouvions tout à l'arrière des travailleurs des champs. Au premier rang, les hommes maniaient le coutelas sans merci ; juste après eux, il y avait les compagnies d'amarreuses au sein desquelles ma mère déployait d'incroyables efforts et, encore un peu plus à l'arrière, se trouvaient nous autres, les mouscouillons, qui nous amusions plus qu'autre chose, épluchant par exemple des cannes en guise de casse-croûte.

Le commandeur s'approchait parfois de nous sur son cheval, nous demandait en hurlant combien de piles de canne nous avions attachées et quand nous lui répondions le chiffre de dix ou de onze, il était aux anges :

« Magnifique ! Magnifique ! Continuez comme ça ! Samedi vous êtes certains de recevoir un peu de monnaie. »

Nous savions tous qu'il s'agissait de paroles en l'air. C'était la paie de nos parents qu'on augmentait quand nous avions réussi à amarrer vingt piles de canne par jour. Nous autres, nous n'avions plus que nos yeux pour pleurer. Il existait des gamins qui se gourmaient dur comme fer pour recevoir leur gratification et le commandeur se trouvait contraint de céder. L'un de ces petits fiers-à-bras s'appelait Téramène. Quoiqu'il ne fût guère plus âgé que moi, il ressemblait à un véritable homme : il était grand de taille, large d'épaules et sa voix commençait à muer. À cause de cela, j'avais horreur de l'entendre parler et me plaçais loin de lui dans les rangs des petites-bandes afin qu'il n'eût aucune possibilité de s'adresser à moi.

D'ailleurs, ma mère m'avait mise en garde :

« Fais attention à ne pas traîner à l'arrière avec ce monsieur Téramène. On m'a assuré qu'il prend un malin plaisir à dévirginer les fillettes de ton âge ! Depuis la mort de sa mère, il agit comme un vrai sauvage. Il ne dit plus bonjour à personne et même son père le craint à la maison. Fais attention à lui, oui ! A-t-il déjà essayé de t'aguicher ?

— Il n'a jamais pris ma hauteur, maman.

— C'est un sournois ! La fille de Mme Étiennise s'est retrouvée enceinte de cette façon. On pourrait bailler à Téramène le Bondieu sans confession. À l'entendre, il n'a jamais fait l'amour avec elle, mais quand on en parle à la fille, elle n'a que le nom de Téramène à la bouche. »

Téramène n'avait jamais brocanté le moindre causement avec moi, à la vérité. À midi, quand les petites-bandes cessaient de travailler pour aller manger à l'ombre des arbres, tandis que leurs parents s'escrimaient encore dans la canne, le garçon m'offrait une orange douce ou une confiserie à la noix de coco en se contentant de me sourire. Les autres le chariaient :

« Téramène aime Adelise ! Hou-la-la, voici que monsieur Téramène nourrit un chagrin d'amour ! »

Et ils se mettaient à battre des petit-bois [9] pour accompagner leur chanter, riant, dansant, sautant comme s'ils ne venaient pas tout juste de sortir de l'enfer des pièces de canne à sucre. Pour ma part, je ne pouvais être d'aucun secours à Téramène car je ne parvenais à aimer personne. Seuls mon arbre et ses petites fleurs blanches avaient le pouvoir de m'émouvoir le cœur. Quand Rosalie, la fille de Mme Étiennise, venait chez moi, les bras chargés de ses magazines d'amour, nous en regardions ensemble les photos et nous en discutions à perte de vue mais, au plus profond de moi, ces histoires n'avaient pas une once de vérité. Ce n'étaient que des portraits de blancs-France qui avaient été imprimés sur du papier journal afin de vous distraire. Rosalie se mourait d'amour pour Téramène, chose qui eut pour effet qu'elle se retrouva enceinte avec un ventre énorme à la fin de la récolte. Le garçon ne l'avait aucunement mystifiée comme se l'imaginaient les adultes. Nous autres, les petites-bandes, avions assisté aux provocations de cette délurée de Rosalie à l'endroit de Téramène, cela toute la sainte journée, jusqu'à ce que le bougre lui refilât ce dont elle avait besoin.

Pourtant, l'homme qui représentait un véritable danger, ma mère faisait mine de ne pas le voir. Quand il inspectait la plantation sur son cheval, c'était certes pour contrôler la bonne marche des travaux mais aussi pour dénicher quelque femme qu'il pourrait violenter. N'importe quel modèle de femme ! Et cela qu'elle soit jeune ou vieille, verte ou à maturité ! Dès qu'il s'agissait d'une femelle, le commandeur, une sorte de mulâtre grossier originaire du Vauclin, lui soulevait la robe pour toucher ce qu'il y avait en dessous. Rosalie jure ses grands dieux que Téramène est bien le père de son enfant mais, pour ma part, j'ai la certitude que c'est le commandeur le responsable de cette vagabondagerie. Il était le premier à forcer les filles des petites-bandes une fois que leurs mères les avaient jetées dans la canne. Tout d'abord, il était le seul à décider si on pouvait y travailler ou si on n'avait pas encore atteint l'âge requis. Je me rappelle le jour où ma mère m'avait emmené à lui, un matin de fort bonne heure, dans la cour du Blanc. Le commandeur était en train d'engloutir un morceau de chou de Chine cuit la veille pendant qu'un forgeron réparait les fers de son cheval.

« Comment ça va, ma bougresse de Glotin ? lança-t-il, la bouche pleine de nourriture.

— Ça va, patron... je suis venue te voir pour la petite chose que je t'avais demandée l'autre jour, répondit ma mère d'une voix timide.

— Quoi donc ?

— C'est pour ma fillette, tu ne peux pas l'engager dans les petites-bandes ? »

L'imposant mulâtre se saisit de la selle de son cheval et entreprit de l'attacher, tournant le dos à ma mère comme si nous n'existions pas. Quand il eut terminé, il m'observa, me demanda d'approcher, me tapota les épaules, me secoua les bras, caressa les deux petites prunes de mes seins et déclara :

« Tu possèdes un sacré bout de femme !

— On ne dirait pas, mais elle a déjà quatorze ans, s'empressa d'indiquer ma mère.

— Elle ne va plus à l'école ?

— Je l'ai enlevée de l'école l'an passé. Le bourg est trop éloigné pour qu'elle fasse la route à pied toute seule. À l'époque où le frère défunt de maître Félicien faisait la ligne avec sa camionnette, je pouvais lui permettre d'y aller, mais les choses sont devenues plus difficiles.

— Eh ben, emmène donc la mamzelle dans les petites-bandes de Savane-Zombi ! » fit le commandeur en enjambant son cheval pour disparaître dans la claireté du jour qui se levait.

Ce jour-là, j'ai pleuré toute l'eau de mon corps. Je ne pourrais plus me rendre auprès de mon arbre pour lui faire la conversation comme avant. Il faudrait que ce soit le soir, quand je reviendrais plus éreintée qu'un mulet bâté, que je me débrouille, une fois lavée à l'eau de la jarre, pour me précipiter au fond du jardin afin de lui raconter mes derniers faits et gestes. À cette heure-là, les merles en profitaient pour réciter leurs prières sur ses branches. J'arrachais ses petites fleurs blanches par grappes et les avalais comme un ogre, puis je m'asseyais à ses pieds, le dos appuyé contre son écorce, dans la noirceur impressionnante, jusqu'à ce que ma mère m'intimât l'ordre de rentrer pour l'aider à préparer notre repas.

Je ressentais la froidure de la terre sous le plat de mes pieds et, aussi gaie qu'une tourterelle, je descendais donner un coup de main à ma mère pour éplucher les ignames ou les choux de Chine. On aurait juré que je reprenais de nouvelles forces une fois que j'avais discuté avec mon arbre. Et lorsque ma mère me faisait m'agenouiller pour réciter le "Je vous salue, Marie", je la prenais de vitesse tellement mes lèvres battaient avec fébrilité. Sous les pans de toile qui me servaient d'oreiller, je cachais une branche de l'arbre à l'odeur de fleur séchée et, de temps à autre, je la humais.

C'est pourquoi le jour où le commandeur m'attrapa par une aile, un jour où une pluie diluvienne avait contraint les travailleurs des champs de canne à se mettre à l'abri, se mit à me sucer les seins à travers ma robe et glissa sa main entre mes cuisses, je ne me débattis point. Je n'éprouvais aucune sensation. Ses mains prospectaient la surface de mon corps de la même manière que l'eau de pluie, c'està-dire qu'elles étaient froides et râpeuses. Il me renversa dans l'herbe et me chevaucha, me pilonnant de toutes ses forces, mais je ne me mis pas à pleurer, ne gémis pas ni ne tentai de résister. Quand il réenjamba son cheval et que tout le monde reprit le travail, j'allai rejoindre les petites-bandes comme si rien ne s'était passé. Ces derniers, persuadés que j'avais rejoint ma mère un peu plus haut, ne me posèrent pas de question. Seul Téramène se figea tel un spectre, la canne-malavoi qu'il épluchait en travers de la bouche, et planta son regard sur mes jambes. C'est à cela que je remarquai qu'elles dégoulinaient de sang. Un sang d'une teinte presque violette. Je fus envahie par la honte et, pour ne pas subir davantage les regards du garçon, je plongeai dans les amarres à la recherche des cannes oubliées par les femmes. À dater de cette époque-là, Téramène s'arrangeait pour emprunter des voies détournées afin que nous ne nous rencontrions pas et il demanda qu'on le plaçât au tout premier rang, celui des coupeurs de canne émérites. Je ne l'ai jamais plus revu après cela. Aujourd'hui, il m'arrive de penser à lui avec regret mais en ce temps-là, seul mon arbre occupait l'entièreté de mes pensées. J'étais la proie d'une sorte d'aveuglement. À en croire ma mère, quelque voisin fouailleur aurait récité des prières maléfiques sur ma tête à ma naissance.

Le commandeur revint plusieurs fois à la charge et agit envers moi avec les mêmes manières de rustre et je répondis comme la toute première fois. Et puis, lorsque les hommes apprirent que j'étais devenue une vraie femme à présent, ils me demandèrent tous l'autorisation de me grimper sur le ventre et je n'avais aucun moyen de le leur refuser. Je me demandais parfois pourquoi Rosalie prétendait que faire l'amour était quelque chose d'aussi doux que du sucre trempé dans du miel. Je ne comprenais pas car je ne ressentais absolument rien. Rien du tout. J'étais allongée à même le sol, à regarder chavirer les yeux des hommes, à écouter leur souffle trépider dans leur gorge, tandis que leurs mains couvraient ma peau de caresses et que leurs reins donnaient des coups de boutoir dans mon giron. Quel plaisir trouvaient-ils donc à cela ?

Par conséquent, lorsque ma tante Philomène me conduisit chez un vieil homme de la rue Victor-

Hugo, un beau matin aux approchants de onze heures, je n'ai pas fait de manières. Tatie s'étant rendu compte que j'avais découvert à quel métier elle s'adonnait, m'avait expliqué ce qui suit :

« Adelise, ce n'est pas parce que je suis une putaine que tu dois le devenir, toi aussi... Je n'ai pas choisi cette profession, j'y ai été entraînée par la misère et de la déveine. Ce sont elles qui m'ont conduite à la débauche. Au début, j'étais servante chez un notaire de la rue Saint-Louis, mais sa femme n'était jamais satisfaite du repas que je leur préparais. Sans arrêt, elle me cherchait des noises. J'en ai eu assez et je suis partie... J'en suis venue à habiter à la Cour Fruit-à-Pain, ce quartier qui se trouve à l'en-bas du Morne Pichevin, chez une amie qui est, elle aussi, natale du Gros-Morne. Ta mère la connaît. Elle s'appelle Marceline. Son nom de famille était Hildevert et quand elle descendit dans l'En-ville, elle épousa un certain Florimont... Je ne parvenais pas à trouver du travail et Marceline avait beau subvenir à mes besoins, son mari avait beau me réconforter en me répétant : "Ne t'en fais pas, tu dénicheras quelque chose, t'es une vaillante négresse", je sentais que je me desséchais sur moi-même. Le soir, je voyais des grappes de femmes se rassembler près du Pont Démosthène, à l'en-haut de la Cour Fruit-à-Pain, dans l'attente qu'un vicieux les siffle. Ils forniquaient, à cette époque, dans les minuscules cases en feuilles de tôle que tu vois là-bas. Cela continue de nos jours mais il arrive qu'on ait un client qui vous embarque à bord de sa voiture et on s'en va faire l'affaire ailleurs... Ma fille, ne sois pas trop pressée, ce même genre de maudition peut très bien s'abattre sur toi. Nous te trouverons un bon travail. Ma sœur ne pourra pas dire qu'elle m'a envoyé son enfant, le seul enfant que lui ait laissé le Bondieu et que moi, je l'ai transformée en ribaude. Pas du tout ! Ce n'est pas la volonté de Dieu. »

Un jour, ma tante me fit me mettre sur mon trente et un, me défrisa les cheveux au fer chaud et m'emmena en un lieu qui portait l'inscription « B.U.M.I.D.O.M » [10]. On nous fit attendre une bonne demi-journée dans une petite pièce où un grand nombre de gens, surtout des jeunes, étaient coincés comme des sardines en boîte depuis le devant-jour. Certains bâfraient des sandwichs à la morue qui empuantaient la salle, d'autres étaient plongés dans la lecture de leur journal, tandis que quelques-uns rêvassaient, la bouche grande ouverte. Personne ne causait à personne. Parfois, une secrétaire ouvrait la porte d'un bureau qui se trouvait au fond du couloir et gueulait presque : *« Au suivant ! »* *

Quand mon tour arriva, elle nous fit pénétrer dans un bureau où des étagères croulaient sous des dossiers de toutes couleurs. Une grande carte de France bleu-blanc-rouge avait été collée sur l'un des murs au bas de laquelle on pouvait lire :

---

* *Toutes les expressions en italiques sont en français dans le texte. (N.d.É.)*

« *Vivre la douceur de notre beau pays* ». La secrétaire était du genre pressé, si bien qu'elle me demanda mon âge, mon adresse et mes qualifications d'une seule traite sans jamais relever les yeux pour me regarder. Puis elle ouvrit un dossier et se mit à chercher dans ses feuillets, le front extrêmement soucieux. Un chabin-mulâtre ouvrit une porte qui se trouvait dans le dos de la secrétaire et lui dit :

« *Terminé pour aujourd'hui, doudou ! J'suis vanné. Tu peux pas savoir le nombre de conneries que j'ai pu ingurgiter depuis le matin.*

— *Très bien, monsieur...* » répondit la secrétaire en lui faisant un petit sourire en coin.

Puis elle se tourna en direction de ma tante et moi et nous déclara en créole :

« Il vous faut revenir un autre jour. Qu'est-ce que l'heure a passé ce matin !... Voici quelques documents, vous les lirez et vous me direz s'ils vous intéressent. Au revoir ! »

Elle sortit du rouge à lèvres et un petit miroir doré de son sac et entreprit de se faire une beauté comme s'il n'y avait plus qu'elle dans le bureau. Tatie me hala au-dehors. L'intensité de la lumière nous blessa presque les yeux. Il devait être midi passé. Un djobeur [11] sinuait avec sa charrette-à-bras à travers la foule et les voitures, charrette qui était chargée de tomates, de carottes, d'oignons-pays, d'épinards et de christofines. Il imitait le son de l'ambulance :

« Pin-pon-linp ! Pin-pon-linp ! Allez, de la place ! Pin-pon-linp ! »

Tatie s'arrêta sur le trottoir, en admiration devant son doigté, et me fit :

« Même les djobeurs trouvent du boulot, je vois pas pourquoi toi, t'en trouverais pas un. T'en fais pas pour ça, ma fille ! »

Mais le temps fabriqua du temps, les jours filèrent sans que ma tante ne me dénichât quoi que ce soit. Je me retrouvais dans un imbroglio similaire à celui qu'elle avait connu une vingtaine d'années auparavant. Je ne craignais nullement d'aller vendre mon devant au Pont Démosthène, ce qui me faisait peur c'était de demander à ma tante si je pouvais l'accompagner. Je ne savais pas comment lui présenter la chose. Chaque jour, elle revenait sur le même sujet, telle une crécelle du vendredi-saint :

« Adelise, tu prétends être encore vierge, tu mens ou quoi ?

— C'est la vérité, tatie.

— À la campagne, aucun enjôleur n'a essayé de te courtiser ? Personne ne t'a jamais proposé de fretinfretailler ?

— Personne, tatie... »

Ainsi donc, après qu'une année se fut écoulée, elle lâcha d'un air plein de gêne :

« Adelise, tu sais, tu seras... tu seras... obligée de faire ça pour de l'argent...

— Faire ça ?

— Oui... Faire ce que moi je fais. C'est pas beau mais que veux-tu ? Quand t'es née dans la dèche, y'a des trucs que t'es obligée de faire pour survivre. Je ne vais pas te mettre sur le trottoir du Pont Démosthène, t'es trop mignonne et puis t'es vierge aussi. Les gros bourgeois, ils recherchent ça énormément, des petites jeunesses de la campagne qui ont gardé leur hymen. Tu ne sais pas encore à quel point les mulâtres d'En-Ville sont vicieux, hon ! »

Philomène para mes lèvres avec du fard, me peignit les cheveux à l'aide d'huile de palma-christi, me prêta ses souliers à talons hauts rouges et nous nous mîmes à arpenter le boulevard de La Levée. Je n'étais pas très habituée à me promener à travers les rues de Fort-de-France, si bien que j'avais l'air d'une vraie descendue. Nous passâmes aux abords de la cathédrale où quelque richard faisait baptiser son enfant. Il y avait des voitures magnifiques et des hommes et des femmes élégantissimes sortaient sur le parvis de la cathédrale. Un photographe se déplaçait en tous sens, telle une girouette, leur disant en français :

« Psst ! Marie-Eugénie, un p'tit sourire, s'il te plaît... Robert, arrange ta cravate, veux-tu. Là, comme ça... Très bien ! »

Et ils lui répondaient en français également, aussi à l'aise que Blaise au bord d'une falaise, dans cette langue qui n'avait cesse de provoquer l'apparition d'une boule dans ma gorge. Même Tatie, bien qu'elle fût accoutumée à ces grands spectacles, prit racine sur le trottoir comme tout un tas d'autres gens qui semblaient hypnotisés par ces allées-venues. Ce n'est que lorsque la dernière voiture emprunta la rue Schoelcher à vive allure que ma tante surgit de son rêve éveillé. Elle me fit :

« La rue Victor-Hugo se trouve un peu plus haut... on va chez un commerçant. Il est déjà très âgé mais il lâche du fric facilement. Il adore les petites négresses vierges. Qu'on ne lui offre rien d'autre ! T'as peur ?

— J'ai pas peur...

— T'es une bougresse courageuse, hon... Faut en avoir pour pouvoir ouvrir ses cuisses à un mec que tu ne connais ni en bien ni en mal, j' t'assure. Y'en a qui s'imaginent que c'est aussi simple que de boire un verre d'eau ! »

Final de compte, nous arrivâmes devant une maison en bois à trois étages. Tatie tira sur une ficelle et nous entendîmes une clochette sonner à l'intérieur. Un type infirme d'une jambe vint nous ouvrir et nous demanda de monter l'escalier. Comme son patron nous attendait en haut, il ne prit pas la peine de nous suivre. D'ailleurs, Tatie avait l'air de connaître le chemin. Le vieil homme était enfoncé dans un fauteuil en cuir en train de lire un livre et ses lunettes lui retombaient sur la pointe du nez. Derrière lui, il y avait une bibliothèque pleine d'ouvrages reliés et, en son mitan, un gros poste de radio qui diffusait une musique douce. Tatie lui dit :

« Monsieur Germain, bonjour. Je t'ai emmené la personne...

— *Ah ! Bonjour, ma belle. C'est donc le fruit dont vous m'aviez parlé,* répondit-il en français en s'avançant vers moi d'un air glouton. *Quel âge ?*

— Réponds donc ! me fit ma tante en me secouant.

— *Et timide en plus avec ça !* reprit le vieil homme tout en me caressant les joues. *Tu veux me dire ton âge, ma petite pomme de cannelle, hein ?*

— Dix… dix-sept ans, monsieur…

— Fort bien ! dit-il à ma tante en créole. On fait comme on avait convenu : voici la moitié, soit quinze mille francs, le reste, je te le baillerai plus tard, si c'est vrai qu'elle est vierge. Ha-Ha-Ha ! »

Tatie se saisit de l'argent, le cacha dans son soutien-gorge et redescendit l'escalier sans plus s'occuper de nous. Le vieil homme éteignit la musique, ferma la fenêtre qui donnait sur le grand marché aux légumes de Fort-de-France, ce qui eut pour effet de supprimer sur-le-champ le vacarme joyeux des marchandes et des djobeurs. Un silence plein de frissons couvrit le salon et, dans la demi-obscurité, le vieil homme me parut encore plus squelettique. Quand il eut achevé de ranger toutes ses affaires, il me déclara :

« Montons… »

Il emprunta un deuxième escalier, en colimaçon celui-ci, qui se trouvait de l'autre côté du salon. J'eus le temps d'apercevoir une petite cour intérieure où se trouvait un bassin d'eau entouré de quelques pots à fleurs. L'infirme qui nous avait ouvert tout à l'heure était assis sur un petit banc et lavait des vêtements dans un seau. Nous parvînmes tout en haut où je distinguai plusieurs petites chambres claires. Le vieillard frappa à l'une d'entre elles. Personne ne lui fit de réponse. Il frappa à nouveau, avant de chercher un trousseau de clefs dans sa poche, enfonça l'une d'elles dans la serrure mais avant qu'il ne la tournât, la porte s'ouvrit brusquement :

« Louis-Philippe, cria le vieil homme. Je vais te punir si tu continues à faire l'imbécile. Venez, ma fille... »

Dans la chambre était installé un lit à colonnes recouvert d'une moustiquaire mais il n'y avait personne dessus.

Un canapé bleu qui se trouvait là était vide lui aussi. Le vieil homme regarda tout autour de lui comme quelqu'un qui aurait perdu ses esprits. Il ouvrit une fenêtre, l'enjamba, monta sur le toit en tuile de la maison, aussi habile qu'un matou, puis je le vis rentrer, traînant un grand dadais qui était en pyjama. Je sursautai. C'est donc avec ce débile qu'on voulait me faire faire l'amour ? Mon Dieu ! Où m'avait larguée ma tante ?

« Louis-Philippe, Louis-Philippe, écoute !... Regarde ce que je t'ai apporté ! Regarde-moi cette jolie petite câpresse...

— Rrr ! Rrr !... » jargonna le débile, une écume blanchâtre lui dégoulinant sur le menton.

Le père blottit son fils dans le lit à colonnes, lui accora un oreiller derrière la tête et commença à le déshabiller. Le débile était aussi blême qu'une christofine qui aurait mûri sous ses feuilles. Une envie de vomir s'empara de moi. Ses cheveux, aussi fanés que du fil de mangue-zéphirine, lui couvraient presque les yeux. J'eus une tremblade en dépit de la chaleur atroce qui régnait à l'intérieur. Et puis le père se déshabilla, lui aussi, se tourna vers moi et se mit à déboutonner ma robe en toute hâte...

CHAPITRE IV

*B*IEN QUE l'amarrage des cannes les éreintât toutes les deux, la jeune fille savait pertinemment qu'un soir sa mère la prendrait sur le fait. Ce qui doit se produire se produit toujours. C'est pourquoi Adelise ne sursauta point lorsqu'elle vit la lampe s'allumer dans la maison alors qu'elle venait de se faufiler au-dehors pour aller rencontrer son arbre. Elle cherchait quelle excuse inventer pour emberlificoter sa mère, laquelle n'avait cessé de lui ressasser de ne pas aller drivailler en pleine nuit afin qu'un diable ne barrât pas son chemin.

La jeune fille s'approcha de la case, jeta un œil à travers la fente d'une planche et aperçut sa mère à genoux en train de prier Dieu à haute voix, un rosaire à la main. Elle n'avait pas allumé la lampe-tempête et c'est une bougie qui diffusait toute cette clairté. Sans hésiter, Adelise entra s'allonger sur sa paillasse comme si de rien n'était. Au bout d'un moment, sa mère éteignit la lumière et s'étendit sur son lit également. Adelise avait la certitude qu'aucune d'entre elles ne réussit à trouver le sommeil jusqu'au lever du jour.

Le lendemain, la mère d'Adelise lui porta un thé-pays et lui posa une serviette humectée d'eau tiède sur la tête :

« Repose-toi, ma petite, la fièvre va baisser mais il ne faut pas que tu fasses la moindre imprudence. »

Mme Anna se trouvait là aussi, chose qui n'arrivait jamais d'aussi bonne heure le matin. Elle tapota le cou d'Adelise et demanda à sa mère :

« Tu devrais lui bailler un bon thé au corossol.

— Pourquoi donc ? Elle ne transpire pas...

— Elle ne transpire pas, reprit la voisine, mais on ne sait jamais, la pleurésie vous tombe dessus de manière tellement subite. »

Adelise ne comprenait pas ce qui lui arrivait. Bien qu'elle n'eût rien qui la fît souffrir en particulier, elle demeurait engoncée dans sa paillasse, le regard fixe. Une sorte d'engourdissement lui traversait les muscles, l'empêchant de bouger, et elle ne pouvait même plus parler. Mme Anna déclara à sa mère :

— Va faire le travail du Blanc, ma commère. Je resterai au chevet d'Adelise, on est entre amis.

— Je me demande si on ne lui a pas jeté un sort ? se demanda sa mère.

— Cesse de dire des couillonnades ! Ne m'as-tu pas raconté qu'Adelise est sortie pisser en pleine nuit ? Elle a dû attraper froid à cause du serein [12], voilà tout !

— Hon… » répondit la mère comme si le discours de Mme Anna ne l'avait aucunement convaincue.

Pendant qu'elle enfilait ses vêtements de travail, elle surveillait Adelise d'un air mi-inquiet mi-fâché. À un moment, la jeune fille se mit à rire car, revêtue de ses hardes déchirées, elle ressemblait à un pantin de carnaval sur des échasses. Elle rit à n'en plus finir. Elle ne parvenait pas à étouffer ce rire qui lui remontait des entrailles, lui labourait le corps et éclatait dans sa bouche.

« Tu vois, Anna, il ne s'agit pas d'une pleurésie, je te dis ! On lui a jeté un sort à ma fille, voilà la vérité ! Y' a sûrement un quimboiseur [13] par ici qui trouve que je ne me débats pas assez dans la misère, il faut encore qu'il flanque ma petite câpresse dans la déveine. Pour sûr, c'est le Bondieu qui me punit ! »

Mme Anna trempa la serviette dans la bassine d'eau chaude et en tapota le visage d'Adelise. Cela n'améliorait pourtant pas son état. La jeune fille n'en finissait pas de s'esbaudir.

« T'es encore en bisbille avec père Lubin ? demanda Mme Anna à sa mère.

— On ne se dit pas bonjour mais il m'a rendu l'argent qu'il me devait. Tu penses que c'est lui qui…

— Ne me fais pas dire ce que j'ai pas dit, ma commère. Si par hasard quelqu'un a jeté un sort à Adelise, ça ne peut être que quelqu'un qui éprouve de la haine pour vous. Je ne vois pas qui à Glotin pourrait vous faire ça.

— J'entretiens de bons rapport avec tout le monde. Compère Gérard me regarde de travers ces jours-ci, je ne suis pas fichue de savoir pourquoi...

— Peuh ! C'est quelqu'un d'important ce Gérard ? Il me fait vraiment penser à un compère Lapin [14]. Tu sais, compère Lapin possédait un jardin vivrier près de chez lui, mais il avait défriché les terres domaniales, à l'en-haut d'un morne, pour en faire un deuxième. Pour y accéder, il fallait descendre dans une ravine, enjamber une riviérette et puis grimper un morne aussi raide qu'un coup de tafia bu au réveil. Ce morne était couvert de forêts et seul compère Lapin pouvait s'y rendre. Chaque midi, son épouse lui déposait une gamelle au bord de la rivière mais elle ne la franchissait jamais. Un jour, elle se dit : "Il faut que j'aille voir de mes propres yeux ce jardin que fait mon mari !" Si bien qu'un jour, elle s'en alla plus tôt que d'habitude. Lapin n'était pas encore arrivé au bord de la rivière car il retournait encore la terre tout en haut du morne. Mme Lapin, qui n'avait pas froid aux yeux, franchit la barrière des gommiers [15] et des fougères. Elle découvrit Lapin vêtu d'un beau costume noir et d'une cravate mais de jardin, point. Dès que Lapin se rendit compte de la présence de sa femme, il ôta sa veste, la voltigea par terre et se mit à crier :

"Tu mourais d'envie de voir mon jardin ! Eh bien, heureusement que je porte toujours cette veste, tu ne le verras pas quand même ! J'ai couvert le jardin avec !"

— Ha-Ha-Ha ! et dire que je n'étais pas d'humeur à rire ce matin, fit la mère d'Adelise. T'as raison, Gérard est un vrai compère Lapin !

— Va travailler, je te dis, reprit Mme Anna. Le commandeur risque de t'ôter la journée. Tu le connais, avec sa mentalité de salopard ! »

Lorsque la mère d'Adelise fut partie, Mme Anna s'assit par terre, aux côtés de la jeune fille, lui prit les mains et se mit à les caresser. Elle cherchait à découvrir quelque chose, un secret quelconque, au fond de ses yeux, le visage plus que soucieux.

« Que faisais-tu dehors hier soir en pleine nuit ? demanda-t-elle à Adelise. Tu n'as pas peur d'être surprise par les sorciers volants ?

— Qu'est-ce que c'est, les sorciers volants ?

— Les sorciers volants, ce sont des gens qui se transforment en oiseaux, ma fille. Ils ôtent leur peau humaine, ils la suspendent derrière leur porte comme s'il s'agissait d'un vêtement, puis ils s'enduisent le corps d'une espèce d'huile qui les fait briller lorsqu'ils volent dans les airs, expliqua Mme Anna.

— Pourquoi font-ils cela ?

— Qu'est-ce que j'en sais, moi ! Ignores-tu que les nègres sont la race qui s'adonne le plus à la malfeintise ? Peut-être que certains se métamorphosent en sorciers volants pour aller dérober les biens d'autrui ou alors juste pour leur faire peur. J'en sais rien, moi... »

Mme Anna se redressa et ouvrit une fenêtre car le toit de tôle de la case provoquait une fournaise à l'intérieur. Elle observa la croupe arrondie des mornes qui lui faisaient face, en proie à une profonde réflexion. Ses cheveux flottaient doucement sur ses épaules. Si bien qu'Adelise jugea qu'il faudrait lui raconter un mensonge avant qu'elle n'en vienne à éventer son secret.

« Madame Anna, murmura-t-elle.

— Quoi donc, ma fille ?

— J'ai découvert un trésor... »

Une modification brutale se produisit dans l'attitude de la femme.

« Un trésor ? Où ça ? Dans le jardin, c'est ça ? Une jarre d'or que quelque blanc-pays avait dû enterrer là au temps de l'esclavage ! Où se trouve-t-elle ? »

Mme Anna ne se préoccupait plus de la maladie d'Adelise. Elle ne désirait qu'une seule chose : connaître l'endroit où le trésor était enfoui. Elle vint s'asseoir à nouveau au bord du lit, pressant le poignet d'Adelise et lui disant d'un ton presque suppliant :

« Ne t'avise jamais de révéler cela à qui que ce soit, ma fille ! Même à ta mère, il ne faut rien dire du tout. Il s'agit peut-être d'un trésor ensorcelé et si quelqu'un entreprend de s'en emparer, plus cette personne fouillera le sol, plus le trésor s'y enfoncera. Je connais ce genre de choses. C'est déjà arrivé à l'un de mes oncles...

— ...

— Il faut savoir quel genre d'oraison prononcer lorsqu'on baille le premier coup de houe qui enlèvera la terre tout autour de la jarre. Si jamais on omet de la dire, on perd définitivement le trésor, je t'assure. Où se trouve-t-il, Adelise chérie ?

— J'ai juste trouvé une petite pièce de monnaie, répondit Adelise avec froideur.

— Un sou marqué ?

— Oui... une pièce de dix sous, madame Anna... »

La femme faisait de gros efforts pour masquer sa déception mais les veines de son cou tressaillaient à en éclater. Le rêve dans lequel elle s'était embarquée venait de se fracasser en un battement d'yeux et c'est cela qui permit à Adelise de comprendre que les campagnards sont des gens qui nourrissent toujours quelque espoir fumeux qui leur baille force et courage pour supporter l'exécrabilité de leur existence. Adelise savait que celui de sa mère était qu'elle trouve un bon mari qui l'emmenât vivre dans une maison qui n'aurait pas la toiture en tôle ondulée. Peu après, elle s'endormit jusqu'au retour du travail de celle-ci, sur les quatre heures de l'après-midi. Mme Anna l'avait veillée sans discontinuer comme elle le lui avait promis mais elle conservait la bouche cousue et aussitôt que sa mère eut fini de se propreter le corps derrière la case, elle lança à la cantonade :

« Ohé le voisinage, je m'en vais !

— Merci, ma chère ! Merci beaucoup, le bon Dieu qui se trouve au ciel te le remettra, Anna », fit la mère d'Adelise.

Lorsque cette dernière avait fini de travailler dans les champs de canne, elle n'en pouvait plus. Ses épaules s'incurvaient sur sa poitrine sous l'effet de l'épuisement et son seul plaisir était de fumer sa pipe en terre jusqu'à ce que la barre du jour se cassât. Elle projetait sa berceuse en arrière sous la véranda, les yeux fixés sur l'obscurité qui commençait à descendre sur le monde. Alors Adelise ressentit le besoin de lui raconter la même histoire qu'à Mme Anna. La jeune fille n'avait pas achevé son récit que sa mère s'était déjà précipitée dans une armoire à la recherche d'une robe repassée et d'un mouchoir de tête, bougonnant pour elle-même :

« Je le savais… Je le savais… Je le savais bien… »

Puis elle habilla également Adelise, la jucha sur son dos et la charroya dans la noirceur ensorcelée de la nuit, en chantant un chanter d'église en latin afin qu'aucun diable ne vienne contrecarrer leur procession. Une rousinée de pluie s'était mise à frapper les bajoues du ciel. À un moment, la mère quitta la grande route et emprunta un chemin de traverse dans les halliers sans prendre garde à ce que ses pieds ne se blessent sur les roches ou que le visage d'Adelise ne soit lacéré par les lianes et les branches d'arbre. Elle était déterminée à avancer !

Elle ne voulait rien savoir. Elles marchèrent, marchèrent, marchèrent parce qu'au Gros-Morne, les savanes se succédaient aux savanes, les bois aux bois. Adelise ne parvenait pas à reconnaître les lieux mais elle eut le sentiment qu'elles montaient en direction du Morne-des-Esses. Les fougères remplaçaient les champs de canne et la froidure se faisait plus âpre.

Elles débouchèrent enfin devant une cahute au-devant de laquelle se trouvait un foyer composé de trois roches. La lueur d'une torche tremblotait à l'intérieur. Un vieillard jaillit et déclara :

« Ô femme, je t'espérais. Entre donc ! »

L'homme était vêtu d'une gaule (16) blanche et portait un grand nombre de colliers et de bracelets à son cou et à son poignet. Il aida la mère d'Adelise à déposer la jeune fille sur une caisse et, tout de suite, il s'empara de la tête de cette dernière et se mit à la presser de ses deux mains, cela de plus en plus fort jusqu'à ce qu'elle hurle de douleur.

« Ne crains rien ! » la rassura sa mère.

Bien qu'elle fût envahie par la peur, Adelise scruta le quimboiseur et s'aperçut que ses yeux étaient fermés dur comme fer tandis que ses lèvres murmuraient quelque chose de manière fébrile. Le plat de ses mains dégageait une chaleur intense sur les tempes de la jeune fille et, pendant qu'il pratiquait ses passes, elle sentit un doux frémissement la pénétrer jusqu'à la moelle des os. Elle se sentait quitter la terre, elle volait vers l'en-haut du ciel, aussi légère qu'une flèche de canne et entendait les battements d'ailes des tourterelles et des oiseaux-gôgô. Une voix lui demandait :

« Adelise, à qui as-tu fait du tort ?

— À personne. Je n'ai rien fait à personne, s'entendait-elle répondre.

— Écoute-moi bien, ma petite fille ! Cherche bien au fin fond de ta mémoire si un jour tu n'aurais pas dérespecté quelque adulte ou fait des manières pour une personne à cheveux blancs. Essaie de te rappeler !

— J'ai toujours montré honneur et respect à ceux qui sont plus âgés que moi. »

Adelise eut des sueurs froides. Puis une subite envie d'uriner. Elle redescendait vertigineusement vers la terre bien qu'elle fît de grands gestes du bras pour demeurer en l'air. Son cœur était presque sur le point de se détacher. Elle hurla de toutes ses forces :

« J'ai besoin de pisser ! »

Quand elle ouvrit les yeux, le quimboiseur était à genoux devant elle et recueillait le jet de son urine dans une fiole. Sa mère elle-même était clouée près de l'entrée de la case comme une statue. Puis le vieillard alluma quatre autres bougies et donna son verdict :

— « On l'a envoûtée ! Voyez comme son pissat est clair. »

L'homme fit tourner la fiole d'urine autour des quatre bougies tout en récitant quelque chose dans un langage qu'Adelise ignorait. Soudain, il les éteignit et se mit à gifler la jeune fille, en s'écriant :

« Aboubou-dia ! Aboubou, ai-je dit ! »

Aussi étrange que cela puisse paraître, Adelise ne ressentait aucune douleur. Seul le souffle émis par ces gifles lui chiquenaudait l'esprit. Elle ressentait le même sentiment d'ivresse que lorsqu'elle s'adonnait au jeu de "kalibantcho" [17]. Elle se mit à rire sans discontinuer. Le vieillard se fit encore plus virulent.

« Salopard ! Tu t'amuses ? Continue donc, tu verras de quel bois je me chauffe tout à l'heure. Je t'ai préparé une riposte dont tu te souviendras jusqu'à la fin des temps. Aboubou-dia ! Aboubou-dia, ai-je dit ! »

Puis il alluma une nouvelle bougie et dessina une image sur le sol à l'aide de l'urine d'Adelise. Il fit pénétrer la jeune fille à l'intérieur de l'image, se saisit des autres bougies, les plaça sur son pourtour et les alluma également, tout en recommençant sa prière sauvage. Adelise ouvrit grands les yeux et constata que les cloisons de la case étaient couvertes de miroirs, de morceaux de toile noire et violette, de pages de la Bible et de fleurs en plastique. L'homme était accroupi, traçant une rigole par terre qui aboutissait au mitan de l'image, à l'endroit où se tenait Adelise, laquelle était complètement figée. Ensuite il prit une fiole bleue et en vida le contenu dans la rigole. Dès que celui-ci atteignit le bord de l'image et s'y faufila, un vacarme énorme se mit à secouer la case comme si des grappes de gens se battaient entre eux. Le quimboiseur s'écria :

« C'est de l'eau bénite, espèce de chien tout nu

que tu es ! Réagis si tu peux ! J'ai dit aboubou, va-t-en donc ! Je ne vais pas prendre des gants avec toi. Lâche-moi le corps de cette jeune fille, s'il te plaît ! »

Adelise sentit qu'elle allait s'évanouir. Elle hurla :

« Maman, au secours ! Au secours ! »

Mais le quimboiseur s'opposa à ce que sa mère pénètre dans l'image et continua sa prière à haute voix. C'est à cet instant-là qu'Adelise comprit qu'il utilisait quelque langage africain dans lequel il mêlait de temps à autre des mots de créole. Après cela, la jeune fille ne se rendit pas compte de ce qui se déroula car lorsqu'elle reprit ses esprits elle constata qu'elle se trouvait sur le dos de sa mère et que celle-ci s'en retournait à Glotin. Les paupières du ciel commençaient à s'ouvrir et l'oiseau-pipiri devait être sur le point de lancer son chant matinal. Sa mère maugréait sans cesse :

« Cette Mme Anna, je ne veux plus qu'elle s'approche de chez moi ! C'est une faiseuse de maléfices ! Elle s'imagine qu'elle pourra ensorceler l'ultime fruit de mes entrailles. La jalousie la dévore puisqu'elle est bréhaigne. Hon ! Est-ce de ma faute si aucun homme n'est jamais parvenu à t'ensemencer ? N'es-tu pas tombée dans cet état à force d'avorter ? »

Sa mère ne s'arrêta pas devant leur case. Elle descendit un peu plus bas, à hauteur de celle de Mme Anna et elle lança à sa voisine :

« Fiancée du Diable, me voici debout devant ta

porte ce matin de bonne heure, sors un peu que je voie ton visage ! »

Le jour était en train de s'ouvrir. Trois muletiers et leurs bêtes passaient dans le chemin. Ils demandèrent à la mère d'Adelise ce qui se passait. Elle leur répondit que Mme Anna avait ensorcelé l'esprit de sa fille bien qu'elle fît mine de se comporter comme une bonne chrétienne. Puis elle demeura la matinée entière à cet endroit, injuriant Mme Anna, une sorte d'écume aux narines tellement elle était hors d'elle-même. Adelise dut prendre sommeil sur son dos. Ce n'est qu'au moment où le soleil se mit à les brûler qu'elles s'en retournèrent chez elles. La mère d'Adelise la déposa sans ménagement dans son lit. Son humeur avait changé à présent et elle chantait une mazurka qui était à la mode depuis quelque temps. Elle se mit à cuire du poulet au riz comme si on était dimanche et fit manger Adelise elle-même, lui parlant par gazouillis comme si elle était redevenue un bébé. Elle prit un vieux magazine féminin qui traînait sur une étagère et l'éventa tout en l'embrassant de temps à autre. Puis elle lui susurra :

« Pauvre petit diable ! Et dire qu'il y a des gens qui souhaiteraient détruire ta vie malgré les temps si difficiles dans lesquels nous vivons aujourd'hui... Hein, qu'en dis-tu ? Dis-moi quelque chose... »

Mais Adelise ne parvenait pas à rassembler deux mots pour construire une phrase. Sa langue était plus lourde qu'une roche. Elle était aussi épuisée que si c'était elle qui avait accompli tout ce voyage à pied durant la nuit et s'endormit jusqu'au mitan de l'après-midi. Une fois réveillée, la première chose qu'elle fit fut de monter au jardin pour voir son arbre. À sa vue, elle eut un sursaut. Toutes ses fleurs étaient devenues brunes et semblaient chiffonnées, son tronc portait des traces de blessures et ses branches pendaient en désordre. Adelise le caressa : il était aussi froid qu'une barre de glace bien qu'il fût environ quatre heures et demie de l'après-midi et qu'un soleil ardent brillât. Aussi, la jeune fille comprit qu'il allait mourir. Elle se mit à pleurer à chaudes larmes et cogna son front contre lui en cherchant à le tirer, le haler, le secouer, mais il ne bougeait pas d'un millimètre. Il était bel et bien mort. Adelise demeura plantée à ses côtés, le bec coi, jusqu'à ce que sa mère l'appelle.

« J'ai enterré ton cordon ombilical au pied de cet arbre », lâcha-t-elle tandis qu'elle avalait une tranche de fruit-à-pain dans une assiette en fer-blanc...

CHAPITRE V

Adelise's father

DEPUIS QUE j'avais débarqué au Morne Pichevin, je me disais qu'il fallait bien qu'un jour je me décide à aller voir mon père. Il habitait le quartier Bord de Canal, « à hauteur de l'abattoir », m'avait précisé ma mère. C'était un individu qui passait son temps à faire se gourmer des coqs dans les gallodromes. Un jour qu'il avait gagné une forte somme, il avait tiré sa révérence et s'était installé en ville pour ne jamais plus revenir à Glotin bien que je ne fus âgée que de cinq ans.

« Je n'ai rien fait à mon homme ! » se plaignait parfois ma mère à Mme Anna.

Elle ne parvenait pas à déterminer quelle sorte de boulversade se produisait dans l'esprit buté du bougre. En vérité, il ne travaillait guère et passait le plus clair de son temps à soigner ses coqs de

combat, à leur préparer leur nourriture et à les entraîner, mais il ne se comportait pas en mari brutal
avec sa femme. Quand il lui arrivait de gagner certaines sommes, il en remettait une bonne partie à
ma mère. Quand le garde-manger était vide, il
n'émettait aucune protestation et laissait le peu qui
restait à ma mère et à moi-même, demeurant pour
sa part le ventre creux. On ne pouvait pas dire qu'il
s'adonnait à la boisson non plus. Le tafia et lui
n'étaient point des compères.

« Une femme de mauvaise vie d'En-Ville a dû
lui tourner la tête ! prétendait Mme Anna.

— Je ne le pense pas. Cet homme était trop près
de ses sous pour qu'il accepte qu'une maîtresse lui
mange son argent. Pas du tout ! Avec nous, il se
montrait généreux mais, avec les étrangers, il était
extrêmement dur. Tu ne connais pas les amateurs
de combats de coqs, ma fille, ce sont des gens qui
sont très méfiants à l'égard d'autrui. Ils n'ont
d'yeux que pour leur famille et leurs coqs. Et puis
si d'aventure il était tombé sous la coupe d'une
femme de mauvaise vie, il ne serait pas parvenu à
faire son trou en ville.

— Comment sais-tu qu'il a fait son trou ? demanda Mme Anna.

— Qui me l'a dit ? Mais chaque année, il envoie
de l'argent à sa fille. Cela fait huit ans que je n'ai
pas la moindre nouvelle de lui, eh bien ! il n'a omis
de le faire qu'une seule petite fois. Tu sais, c'est à
l'époque où on a subi le cyclone. Il a dû peut-être
tout perdre lorsque le canal a débordé. N'est-ce pas

cette nouvelle qu'on nous a baillée ? N'a-t-on pas dit que l'En-Ville était noyé sous les eaux ?

— C'est ce qu'on a prétendu... » répondit Mme Anna, rêveuse.

Au plus profond de moi, j'ai toujours soupçonné qu'il existait un lien quelconque entre cette femme et mon père sans que je sache pourquoi. Ce qui fait que chaque fois que je songeais à aller le visiter, c'est le visage tiqueté comme un coq d'Inde de Mme Anna qui apparaissait devant mes yeux. Rigobert, un ami de ma tante, qui était djobeur à la compagnie, ne cessait de me casser les oreilles :

« Ce bougre-là ne mérite pas le nom de père ! Vous ne pouvez pas me dire que vous mettez un enfant au monde et que deux ans, trois ans, quatre ans s'écoulent sans que vous ayez l'envie de l'embrasser !

— C'est ce que je me tue à lui dire, appuya Tatie. À quoi bon aller voir ton père ? Que pourra-t-il faire pour toi ? Dis-le moi un peu ?... »

Ma tante haïssait mon père bien qu'ils ne se soient jamais rencontrés depuis qu'il vivait à la ville. Il y a comme ça des citadins qui ne sortent jamais de leur trou à rats. Elle devint l'inquiétude personnifiée lorsque je lui déclarai qu'il fallait peut-être que je cherche à savoir où le bougre habitait. Elle craignait très fort que je n'échappe à son emprise puisqu'elle en était venue à s'habituer à ma présence chez elle, mais semblable idée ne m'avait jamais effleurée. En réalité, j'en avais assez de ce bidonville du Morne Pichevin et j'avais besoin de découvrir d'autres catégories de personnes, d'entendre d'autres propos. À présent, mon existence consistait à attendre, attendre que ma tante rencontrât un bourgeois qui voulait bien faire l'amour avec moi. Parfois, plusieurs semaines s'écoulaient sans que je mette le nez dehors et je ne disposais pour toute promenade que du plateau du Morne Pichevin, endroit surnommé la Cour des Trente-Deux Couteaux par les majors [18], tellement il avait été le théâtre de scènes d'horreur. J'échangeais les derniers ragots avec les femmes, les aidais à nettoyer leur petite marmaille ou à préparer leurs repas. Plus souvent que rarement, c'est moi qui leur prêtais de l'argent pour les sortir d'une mauvaise passe et toutes, elles s'en allaient partout claironnant :

« La petite nièce de Philomène, quelle jeune fille qui a bon cœur, vous m'entendez ! »

Un grand nombre d'entre elles se débattaient dans une misère bleue et quand la pluie se mettait à tomber, quelques-unes se trouvaient obligées de venir se mettre à l'abri chez Tatie parce leurs toitures n'étaient pas étanches. Leurs hommes se rendaient sur le port afin de décharger les bateaux affrétés par les gros commerçants blancs-pays du Bord de Mer, à la recherche d'une embauche qui ne leur rapporterait qu'un paiement dérisoire. C'est pourquoi presque tous les hommes du Morne Pichevin étaient des gens de sac et de corde. Quand leurs poches n'étaient pleines que de courants d'air, ils arrêtaient un bourgeois dans quelque rue de l'En-Ville, lui assenaient une raclée et lui volaient son portefeuille. Les nègres du Morne Pichevin étaient réputés pour être de redoutables manieurs de jambette, d'où la terreur qu'ils inspiraient aux gens des autres quartiers de Fort-de-France. Je n'ai pas mis longtemps à saisir cette chose-là même si ma tante ne me l'a jamais expliquée. C'est le fait qu'elle disait toujours aux mulâtres chez qui elle me conduisait : « *Nous habitons le Morne Vannier* », qui éclaira ma lanterne à ce sujet. Le Morne Vannier était, en effet, un quartier contigu au Morne Pichevin mais situé un peu plus haut que ce dernier. Les habitants du Morne Vannier et ceux du Morne Pichevin n'étaient pas semblables et les confondre reviendrait à assimiler une noix de coco à un abricot-pays. Les natifs du Morne Pichevin ne bénéficiaient pas d'une once de respect en dehors de leur propre quartier.

Tant et si bien qu'un jour, j'ai demandé à Rigobert :

« Tu es d'accord pour m'emmener au Bord de Canal ?

— Qu'est-ce que t'as à te mettre martel en tête à propos du Bord de Canal ? me répondit-il.

— Je veux voir mon père…, ne dis rien à Tatie, je te filerai un billet de dix mille francs pour récompense. »

Il secoua la tête d'un air maussade et me demanda :

« Combien dis-tu ?

— Dix mille francs…

— Quinze… quinze mille francs, c'est trop ?

— Tiens, prends ton argent et allons-y ! » me dépêchai-je de rétorquer en ôtant quelques billets roulés en boule de ma ceinture.

Rigobert enfourna son pouce et son index dans sa bouche et émit un sifflement rapide. Deux autres bougres firent aussitôt leur apparition. Maître Cinna, un nègre-griffe [19] dont l'épouse possédait une boutique près de la croix du Morne Pichevin et compère Richard qui travaillait à la mairie de Fort-de-France. Tous les quatre, nous descendîmes allègrement l'escalier de quarante-quatre marches. Richard avait commencé à me chauffer les oreilles de paroles mielleuses comme chaque fois qu'il me rencontrait. C'était un homme un peu triste à cause du fait, assurait la rumeur publique, que sa femme l'encornaillait dès qu'il avait le dos tourné. Je ne le repoussais pas d'une manière trop brutale, à tel point qu'il avait commencé à s'imaginer que ses petites affaires prenaient une tournure favorable. Mais, au beau mitan des marches, Richard et Cinna qui flânaient au-devant de nous, s'arrêtèrent brusquement. Richard m'attrapa par le bras et lâcha :

« Bon sang ! »

Un groupe de jeunes nègres robustes que je ne connaissais pas nous barrait la route, brandissant des chaînes, des jambettes, des becs de mère-espadon et des barres à mine.

« Remontez ! » brailla le chef de la bande à notre endroit en faisant tournoyer une chaîne.

« Que se passe-t-il ? demanda Rigobert d'une voix tremblotante.

— La ferme ! gueula de nouveau le chef de la bande. J'interdis désormais aux nègres du Morne Pichevin de poser le moindre petit orteil sur le boulevard de La Levée. Je vous l'interdis ! Vous n'avez qu'à rester dans vos tanières. Le premier qui ose jouer à la forte tête peut faire le signe de la croix ! »

En un battement d'yeux, les autres majors cernèrent Rigobert et Cinna, fouillèrent dans leurs poches, s'emparèrent des quinze mille francs que je venais de remettre au premier et dérobèrent la montre en or du second. Ce que voyant, Cinna brandit un couteau à cran d'arrêt et porta un coup au visage du chef de la bande. La lame fit une estafilade sur la peau du bougre et du sang en jaillit à profusion. Deux majors ceinturèrent Cinna et l'assommèrent de coups de barre à mine tandis que Rigobert s'escampait à travers les fourrés qui se trouvaient en bordure des quarante-quatre marches. Richard, quant à lui, m'entraîna au pas de course tout en haut du Morne Pichevin. L'un des talons de mes souliers se cassa dans un trou, ce qui me fit trébucher et presque m'étaler sur le sol. Richard réussit à m'attraper par une aile et continua à me tirer vers le haut. Les majors nous poursuivaient en hurlant : « Espèce de vermines ! Arrêtez-vous, capons que vous êtes ! »

Heureusement, nous eûmes le temps de parvenir au faîte des marches car Rigobert ayant averti quelques-uns de ses compères, ces derniers fondirent sur nos agresseurs à coups de pierres, qui se mirent à redescendre l'escalier dans une bousculade indescriptible. Le corps de Cinna était allongé par terre, ils l'enjambèrent mais l'un d'eux trouva le moyen de lui ficher son bec de mère-espadon dans un des mollets. Cinna hurla comme bœuf que l'on charroie à l'abattoir. Pendant que les voyous disparaissaient de notre vue, toute la population du Morne Pichevin s'était rassemblée dans les quarante-quatre marches, munie d'armes de toute nature.

« Ce sont des nègres de Volga-Plage qui ont commis cette saloperté ! lança Richard.

— J'ai reconnu Gueule-de-Beurre parmi eux, le gros mastoque qui s'était battu avec les policiers sur la Savane le 14 juillet.

— Vous vous rendez compte ? Regardez-moi dans quel état se trouve Cinna, oui ! » se plaignit Sonson, docker de profession.

Deux femmes portaient secours au blessé et s'efforçaient d'ôter le bec de mère-espadon de sa chair meurtrie. Compère Cinna s'évanouit tellement la douleur était insupportable. Rigobert, dont le visage dégoulinait de sang et était zébré de coups de chaîne, déclara :

« Faut le conduire à l'hôpital Clarac vite fait, nous, on saura pas soigner Cinna. Seul un chirurgien pourra lui ouvrir la jambe. Allons, que quelqu'un aille à la recherche d'une ambulance ! La gangrène peut se propager en un rien de temps dans le corps de Cinna. »

J'en avais assez vu. Je pénétrai dans la petite case de ma tante, m'assis sur son lit, appuyai ma tête sur la cloison, fermai les yeux et attendis. Vers les six heures du soir, Tatie arriva. Elle m'observa avant de me dire :

« T'es souffrante aujourd'hui, ma fille ? Tes règles sont arrivées ?

— Non-non...

— Pourquoi t'es cachée à l'intérieur comme un manicou [20] ? Tu penses à ta mère ? Tu veux qu'on aille faire un tour au Gros-Morne dimanche prochain ?

— Il ne s'agit pas de ça... On a bousillé compère Cinna cet après-midi près de...

— Bof ! ma tante éclata-t-elle de rire. C'est rien, ça ! C'est rien du tout, ma fille ! Tu te ronges les sangs pour si peu. T'as encore rien vu. Attends un peu, tu sauras à quoi t'en tenir avec Fort-de-France ! Tu sauras à quoi tu devras faire face ! »

Puis elle m'expliqua que chaque quartier d'En-Ville possédait ses bandes de majors et chaque bande faisait des efforts monstres pour réussir à circonvenir les autres.

« Les femmes ne doivent pas se mêler de ces machins-là, chère Adelise. C'est des machins d'hommes. Si jamais tu y fourres ton nez, tu seras la première à être blessée par ces salauds. Ils adorent abuser de leur force, tu m'entends ! En ce qui me concerne, j'ai rien à faire des histoires qui couvent entre compère Rigobert et M. Gueule-de-Beurre. Je ne suis pas présente lorsqu'ils jouent ensemble aux dés ou quand ils font se gourmer leurs coqs de combat.

— Qu'est-ce que les gens du Morne Pichevin ont fait à Gueule-de-Beurre ? lui demandai-je.

— Ça m'a tout l'air d'une histoire de femmes. J'ai entendu dire que Rigobert a courtisé une des femmes de Gueule-de-Beurre, une petite coulie qui vit à Au-Béraud, et les gens de Volga-Plage ne l'ont pas admis. Ces mecs-là, ce sont de vraies brutes ! La dernière des races après les crapauds ladres… »

D'autres femmes du quartier rendirent visite à Philomène afin de causer de l'incident. Je les écoutais, estomaquée par leur désinvolture. Elles étaient habituées à assister à ce genre de bagarre depuis belle lurette. Dans peu de temps, elles auraient tout oublié. Elles ne parleraient plus que de la misère qu'elles voyaient pour parvenir à nourrir leurs enfants, des brutalités qu'elles subissaient de la part des hommes qui rentraient ivres morts le soir, et une seule et même antienne revenait sur leurs lèvres :

« La vie est raide, oui ! » hard

Ces femmes avaient quitté leurs communes depuis une éternité. Femmes du Marigot, du Lorrain, d'Ajoupa-Bouillon ou bien de Rivière-Salée, du Diamant et de Sainte-Luce. Elles s'imaginaient qu'elles auraient la vie facile dans l'En-Ville mais elles se retrouvaient échouées au Morne Pichevin dans des cahutes en feuilles de tôle ondulée où il faisait une chaleur d'enfer pendant le jour, embarrassées par des nuées d'enfants et embêtées par des hommes qui leur empoisonnaient l'existence. Celles qui avaient réussi à conserver leur belleté comme ma tante vendaient leur devant sur le trottoir du Pont Démosthène et de la route des Religieuses dès la brune du soir mais les autres étaient des laissées-pour-compte.

Ma tante avait un ragot d'importance à me raconter ce soir-là. Elle attendit que nous soyons allongées dans nos lits pour me demander si j'étais satisfaite de ma vie depuis que j'habitais l'En-Ville. Je lui répondis que oui car je rapportais en une seule journée passée avec mes bourgeois autant d'argent qu'elle en une semaine entière. Le commerçant de la rue Saint-Louis et son fils débile en étaient venus à s'habituer à ma personne à présent. Ils n'auraient pas voulu d'autre fille de joie. Ma tante m'avait déniché également un maître d'école, deux gros békés [21] du Bord de Mer et un Syrien appellé Abdallah qui possédait un magasin de toile. C'est elle qui s'occupait de gérer mes revenus afin que je ne « les jette pas par les fenêtres » comme elle aimait à dire. Quant à moi, je m'en fichais complètement, je me moquais d'ouvrir mes cuisses aux hommes (seule leur odeur parfois me soulevait le cœur), je n'en avais rien à cirer de gagner une montagne d'argent. Je me parais certes de robes élégantes, de jupons-cancan, de souliers de courtisane, de colliers-chou et de toutes espèces de colifichets, mais je n'y attachais guère d'importance. Point du tout ! Mon corps ne m'appartenait pas, je l'avais perdu au fil des jours, seul mon cœur demeurait mien et ce qui couvait en lui, c'était un chagrin d'amour démesuré pour mon arbre. Parfois, il m'arrivait de me réveiller au beau mitan de la nuit et de me rendre au pied de la croix du Morne Pichevin pour observer les lumières des bateaux qui tanguaient dans la rade. À mes côtés, des bougies que des gens y avaient mises pour faire du quimbois [22] éclairaient de minuscules poupées de toile comportant des écrits ensorcelés. Je ne craignais pas ces simagrées. Je n'avais peur de rien.

« Adelise, fit ma tante, j'ai une bonne nouvelle pour toi.

— De quoi s'agit-il ?

— J'ai parlé à la dame qui possède ce bar près du port. Tu le connais, il s'appelle "Aux Marguerites des marins". Elle m'a dit être d'accord pour t'embaucher comme serveuse...

— ...

— Tu ne réponds pas ? Tu ne me remercies même pas ? s'énerva ma tante. Tu ne sais pas combien je me suis décarcassée pour te trouver un boulot convenable. Tonnerre du sort ! »

À vrai dire, ce job ne me faisait guère plaisir. Je préférais demeurer à mon compte, être seule pendant la journée à rêvasser à ma campagne de Glotin et à mon arbre. Maintenant, il me faudrait supporter les propos oiseux des gens, les histoires salaces des dockers et des saoulards, les ordres de la propriétaire du "Marguerites des marins". Ma tante s'imaginait que j'allais me précipiter pour l'embrasser. Au fond, elle ne me connaissait pas. Personne sur la terre du Bondieu ne savait exacte-

ment qui j'étais. Aucun de ceux qui m'environnaient n'était prêt à comprendre mon inclinaison.

Ainsi donc, trois jours plus tard, je me suis mise
à travailler dans le bar. Je commençais à onze
heures du matin pour terminer vers les minuit sans
que je bénéficie d'une miette de repos. Ma tante
me déclara qu'elle cesserait désormais de m'emmener vendre mon corps aux bourgeois d'En-Ville.
À l'entendre, j'étais « une jeune fille de bien »
maintenant et il me fallait trouver un bon parti
pour me marier.

J'en ai ri pendant plus d'un mois. Me marier !
Hon ! Qu'est-ce que Tatie croyait ? Elle ne se rendait pas compte qu'à mes yeux les hommes
n'avaient pas plus de valeur que des pierres qui
traînent dans des caniveaux ou bien l'eau de la
pluie qui glissade sur le toit des cases en tôle de
notre quartier. Elle, en dépit des longues années
passées à faire le trottoir, elle espérait toujours rencontrer quelque amoureux un de ces jours, un
nègre qui vivrait tendrement à ses côtés et la
conduirait à l'église. Quand un de ses clients revenait la voir deux ou trois fois, elle me disait :

« Adelise, y a un type là, un câpre [23], qui me paraît très sérieux, je crois qu'il est fou de moi, je t'assure... »

Le matin, elle se précipitait à la messe de six
heures pour demander à Jésus-Christ de l'aider
mais, deux semaines après, Tatie chavirait à nouveau dans l'amerturme, engloutissant, chez elle,
force bouteilles de bière "Lorraine". En ce qui

concernait les hommes, elle se comportait encore comme une gamine. Quand elle livrait son corps à leurs caresses, c'était pour de bon. Elle était sincère, pauvre diable ! Un peu comme si elle leur rendait un service. Par-devers moi, je la surnommais « la bonne sœur des rues ».

Quant à moi, j'appris à devenir de plus en plus dure aux "Marguerites des marins". Dure comme fer...

CHAPITRE VI

Nos effets avaient déjà été préparés depuis la veille.

Avant le lever des merles, nous allâmes attendre l'autobus au bord du chemin. Ma mère ne m'avait prévenue de rien. Depuis quelque temps, elle semblait être plongée dans une profonde réflexion et même Mme Anna, notre voisine, ne venait plus fumer sa pipe en terre avec elle lorsqu'elles étaient rentrées des champs de canne. Après que ma mère m'eut surprise à sortir au-dehors en pleine nuit, elle attachait hermétiquement le loquet de la porte et y plaçait une paire de ciseaux de travers pour le cas où quelque incube chercherait à pénétrer chez nous. Elle se saisissait de la Bible, le seul livre que nous possédions à la maison, et me demandait de lui en lire quelques passages. Mes doigts trébuchaient fébrilement sous les lignes effilées et je m'efforçais de suivre la cadence des phrases bien que je ne saisisse guère leur sens tandis que le tremblé de la lueur des bougies m'étourdissait par moments.

L'accoreur [24] de l'autobus, un gandin surnommé par dérision Prune Sucée, nous connaissait parfaitement. Il venait sucrer les oreilles de Mme Anna quand l'envie le prenait et lui apportait des pommes de France ainsi que des magazines d'amour. Il dit à ma mère :

« On est bien matinale, ma commère !

— Quelles nouvelles ?

— Je me débrouille couci-couça, répondit-il en s'emparant de nos paquets pour les lancer sur le toit de l'autobus.

— Ça fait des siècles qu'on t'a pas vu à Glotin, t'avais disparu ou quoi ? lui demanda ma mère.

— Ha-Ha-Ha ! Glotin n'est pas le seul endroit où je possède un ménage, ma commère. Il faut que je satisfasse chacune à tour de rôle. Qu'est-ce que vous en dites ? »

Les autres passagers, surtout les marchandes de légumes du Morne-des-Esses, en savaient déjà long sur notre homme. L'une d'entre elles s'écria :

« Pas croyable ! T'es vraiment un bandit, Prune Sucée ! C'est sûrement pourquoi t'arrives jamais à prendre du poids.

— Combien de ménages différents entretiens-tu comme ça ? demanda une autre marchande, morte de rire.

— Combien ?... Attendez..., fit Prune Sucée en réfléchissant d'un air soucieux. J'en ai un à Glotin, deux à Trinité, l'un dans le Bourg, l'autre à la Caravelle... heu... un autre à Bélem et puis j'ai bien sûr ma femme mariée qui vit à Fort-de-France.

— T'es marié ! Espèce de menteur que tu es ! reprit la première marchande. Des clous que t'es marié, Prune Sucée ! Écoute, va raconter tes bobards à quelqu'un d'autre ! »

Tout le monde s'esclaffa de bon cœur dans l'autobus. Le chauffeur klaxonnait pour avertir les gens des environs qu'il fallait qu'ils se dépêchent pour lui permettre de partir. Un vieil homme en costume-cravate et un gamin arrivèrent au pas de course, le col de leurs chemises baigné de sueur.

« Hé, voici maître Charles qui s'en va toucher sa pension, mes amis, lança Prune Sucée aux autres passagers. Maître Charles, fais gaffe à ce que les petites pépées d'En-Ville ne te fauchent ton fric ! »

Le vieil homme arbora un air courroucé. Il ne perdit pas son temps à s'engueuler avec l'accoreur car ce dernier avait pour habitude de le tourner en bourrique de cette manière. Puis l'autobus se mit à dévaler la route défoncée, nous ballottant les uns contre les autres comme si nous étions des paniers de choux de Chine. Des deux côtés du chemin, ce n'étaient que champs de canne à sucre, troués de temps à autre par un jardin créole. Coupeurs de canne et amarreuses, vêtus de hardes à manches longues, s'en allaient besogner, le coutelas sur l'épaule, et chantaient à très haute voix pour se bailler du courage à cette heure si matinale. Chaque fois que nous croisions un groupe de travailleurs, le chauffeur de l'autobus se mettait à klaxonner et Prune Sucée leur faisait de grands gestes d'amicalité. Lorsque le véhicule était contraint de s'arrêter dans un morne, Prune Sucée se précipitait pour descendre et placer un accorage [25] sous ses roues arrière. Les marchandes s'exclamaient :

« Hé, monsieur l'élégant, fais gaffe à ce que la braguette de ton pantalon si bien repassé ne se déchire pas ! Ha-Ha-Ha !

— N'ayez aucune crainte pour moi, répondait-il. J'ai des nénettes qui peuvent s'occuper de ma personne. »

Au bout d'un moment, nous arrivâmes dans un quartier appelé Rosière où se trouvaient d'énormes villas en béton entourées de bougainvillées rouges et orangées. Prune Sucée s'approcha de ma mère et lui déclara avec discrétion :

« Vous y êtes ! C'est la maison avec la barrière en fer. Vous n'aurez qu'à dire que vous venez de ma part.

— Merci, mon cher, le Bondieu te revaudra ça. Merci beaucoup ! fit ma mère. Nous descendons, Adelise… »

L'autobus nous avait déposées à un carrefour où s'agglutinaient des marchandes en attente d'un moyen de transport pour se rendre à Fort-de-France. Ma mère acheta un bouquet d'anthuriums des mains de l'une d'entre elles et nous nous approchâmes de la maison que nous avait indiquée Prune

Sucée. Immédiatement, un énorme chien accourut à la barrière en aboyant bruyamment. Nous ne distinguions pas la moindre présence humaine dans la petite allée qui conduisait au porche de la maison. Bien que ma mère affectât de garder son flegme, je devinais que la situation devait quelque peu l'émotionner. C'était le genre de personne qui n'aimait pas avoir affaire avec des inconnus. « Je suis aussi sauvage qu'une mangouste », expliquait-elle à Mme Anna quand la voiture d'un colporteur syrien arrivait dans notre quartier afin de vendre des vêtements. Et quand le bonhomme pénétrait chez nous de force en disant « les Syriens ne bouffent pas les gens, mamie » avec son drôle d'accent, ma mère étouffait d'une sainte colère.

« Parle français, tu m'entends ! » me fit-elle d'un ton brusque quand elle vit une dame s'approcher de la barrière.

Cette dernière nous ouvrit sans nous bailler le bonjour et sans nous montrer la moindre considération. Elle nous fit signe de la suivre pendant qu'elle lançait au chien :

« Au pied ! Allez, Médor, au pied, j'ai dit ! »

Arrivé sur le seuil de la maison, elle se tourna vers nous et nous fit d'une voix sèche :

« Essuyez-vous les pieds ! »

Cela s'adressait surtout à ma mère qui portait ses souliers à la main parce qu'ils lui coinçaient trop les orteils. Il n'y avait qu'à la messe qu'elle faisait l'effort de les garder aux pieds un certain temps mais dès que celle-ci était dite, elle les ôtait à l'intérieur même de l'église. Je la sentis envahie par la honte à la suite de l'apostrophe de la dame. Au salon, une femme âgée, de type métis chinois, peignait ses longs cheveux lisses, un petit miroir à la main. Elle était assise dans une berceuse à laquelle elle imprimait de temps à autre un imperceptible balancement. Un livre était ouvert sur ses genoux avec un éventail en guise de signet. Elle examina longuement ma mère et finit par lui demander :

« Vous vous appelez comment ?

— Armande Félicité…

— Quels Félicité ? reprit la vieille dame. Ceux qui sont originaires de Robert et dont certains travaillaient sur l'Habitation Moulin-à-Vent ou ceux du Gros-Morne ?

— Ceux… ceux du Gros-Morne », bredouilla ma mère.

Alors la vieille dame lui demanda de s'asseoir sur un banc et elle m'appela, se mit à caresser mes cheveux et à me pincer les joues. Elle déclara qu'elle ne voulait pas que je sois peignée avec des papillotes quand je viendrais vivre chez elle car celles-ci servaient de repaires aux pucerons. Elle me fit ouvrir la bouche sous tous les angles et m'observa sous toutes les coutures en secouant la tête. Je ne savais pas où me fourrer. Ma mère, quant à elle, était recroquevillée sur son siège, la bouche close.

« Bon… Eh bien, nous allons voir ce que nous pourrons faire de mamzelle Adelise, fit la métisse chinoise d'un air songeur. Combien de fois par semaine comptez-vous me l'envoyer ?

— Cela dépend de vous, madame. Ce dont j'ai besoin, c'est qu'en octobre, ma fille sache lire correctement le français…

— Vu son âge, ce sera difficile, vous savez. Elle n'allait pas à l'école ou quoi ? Ses petits seins commencent déjà à gonfler. »

Ma mère baissa la tête. Elle ne savait plus quoi dire. La vieille dame lui proposa de m'envoyer chez elle trois fois par semaine pendant les mois de juillet, août et septembre. Elle demanda à ma mère la somme de trente mille francs par mois pour les leçons qu'elle me baillerait ainsi que quatre mille pour la nourriture. Ma mère ôta un sachet du pli que faisait, sur sa hanche, sa robe créole, défroissa quelques billets et les tendit d'un geste empressé à la métisse chinoise. Celle-ci s'empara aussitôt de l'argent, le fourra dans une petite boîte métallique de couleur bleue absolument ravissante pendant qu'elle me tirait vers elle en me disant :

« Embrasse donc marraine Hermancia ! »

Sa peau était aussi fraîche que celle d'un nourrisson bien qu'elle fût traversée d'une nuée de rides, chose que n'arrivait pas à masquer la poudre rose qu'elle se mettait. Son parfum faillit m'étourdir tellement il était agressif. Il me vint à l'idée que cette dame était tout le portrait d'une poupée, une vieille poupée, et cette comparaison me fit rire en mon for intérieur. Pendant que ma mère et elle signaient des documents, j'examinai mieux le salon et remarquai qu'il était encombré de vases, de coussins, de petites lampes, de tableaux sur les murs et

de livres sur diverses étagères. J'eus le sentiment
que j'étoufferais si je devais vivre ne serait-ce qu'un
seul jour en un lieu tel. Brusquement, un chat arriva
en courant, sauta sur le livre qui se trouvait sur les
genoux de la vieille dame et se mit à miauler.

Ce soir-là, je dormis seule pour la première fois
de ma vie. La femme qui nous avait reçues à la barrière et qui se trouvait être la demi-sœur de la métisse chinoise, me conduisit à une sorte de petite
pièce dépourvue de fenêtre, qui devait servir à
ranger balais et seaux. Des toiles d'araignée foison-
naient dans tous les coins. Par terre, on avait assemblé quelques vieux vêtements pour que je
puisse dormir. Aussitôt que ma mère se retira, marraine Hermancia me dit :

« Petite négresse, va te laver, s'il te plaît ! Hé,
Giriane, viens donc ! Baille à cette mamzelle une
bassine d'eau et un savon. Ces campagnards se cou-
chent et se réveillent avec leur sueur sur le corps
sans que cela les gêne. »

Au mitan de la nuit, une voix chevrotante me
réveilla et fit chamader mon cœur. Je fus enveloppée par la peur et me blottis dans les hardes qui
me servaient de lit tout en récitant une petite prière
à voix basse. Où était ma mère ? Pourquoi m'avait-
elle abandonnée ici, dans cette grande maison, en
compagnie de ces deux vieilles dames excen-
triques ? À un moment, le bruit fut si fort que je me
redressai sur mes jambes, poussai la porte de ma
chambre, jetai un coup d'œil dans le couloir qui
était noyé dans l'obscurité, mais je ne distinguai ab-

solument rien. Le vacarme se déroulait au salon. Je me dirigeai vers lui à pas de tortue et atteignis le rideau en plastique qui le séparait du couloir. On aurait juré qu'une personne servait un repas à quelqu'un d'autre car il y avait des tintements de cuillères, d'assiettes et de verres au mitan d'un déversement de paroles insensées :

« *Je ne vous en veux pas, mon cher Romain. J'ai très bien compris à travers vos propos de l'autre soir que vous aviez décidé de prendre vos distances… Ah, Romain ! Toujours la même, hein ?… Qu'est-ce que tu lui trouves à cette petite putaine de Rivière-Pilote ? J'aurais payé pour le savoir… en ce qui me concerne, je n'ai pas encore pris de décision définitive.* »

Marraine Hermancia était assise devant une assiette vide, mangeant et bavardant avec quelqu'un qui lui faisait face mais qu'elle était la seule à voir. Pour ma part, il était invisible. Parfois, marraine faisait le geste de lui remplir son assiette ou son verre en continuant à l'abreuver de son flot de paroles. Je demeurai le bec coi. Ce n'est qu'au moment où je me rendis compte que les yeux de la vieille dame étaient hermétiquement clos que je compris qu'elle était en proie à la déraison. Elle était somnambule. Je posai ma main sur mes lèvres pour ne pas pouffer de rire. À peine ce geste accompli, je reçus une violente chiquenaude sur la tête qui faillit m'assommer, puis quelqu'un me saisit par les oreilles et entreprit de me haler dans le couloir. Je me mis à pleurnicher, ce qui eut pour effet de réveiller la somnambule de son rêve, poussant un cri si puissant qu'il fit presque tressaillir la maison. La demi-sœur qui m'avait frappée accourut au salon afin de secourir marraine Hermancia.

« Petite négresse, s'écria-t-elle, va me me chercher une timbale d'eau glacée dans le réfrigérateur. Remue-toi le derrière !

— *Romain ! Ah, Romain, tu m'as trahie !* » répétait marraine Hermancia en larmes, la tête plongée dans ses deux mains.

Ce qui est destiné à se faire se fait toujours. Je ne devais pas recevoir de leçons de français et de mathématiques auprès d'elle. Dès le lendemain, sa demi-sœur me fit emballer mes affaires et m'embarqua, vers quatre heures de l'après-midi, à bord de l'autobus qui allait au Gros-Morne. Je n'ai pas revu marraine Hermancia. Elle était couchée dans sa chambre où un médecin est venu la soigner. La demi-sœur m'avait baillé une sacrée roustance :

« Nous n'avons pas besoin de petite fouaillarde parmi nous, tu t'occupes trop de ce qui ne te concerne pas ! Tu ne sais même pas encore bien lire et écrire et pourtant tu surveilles les faits et gestes des adultes, tu ne crains pas de t'y mêler ! Ah non ! Nous recevons des enfants de bonne famille ici, pas ceux de la racaille. Tu retournes chez tes parents car je ne voudrais pas que tu me contamines les autres élèves. Ça jamais ! »

J'étais persuadée que ma mère m'engueulerait mais elle se renfrogna dans un silence amer et me renvoya derechef dans les petites-bandes qui travaillaient dans les champs de canne. Elle ne me questionna pas sur ce qui s'était passé, ni ne chercha à connaître les raisons de mon retour subit. Simplement, elle me dit quelque temps après :

« C'est l'argent que ton parrain Léon m'avait baillé pour tes étrennes que j'ai remis à Mme Hermancia. Cette année, tu ne recevras donc rien ! »

Au mois d'octobre, moment de la rentrée scolaire, l'espèce d'appréhension qui s'emparait de moi jusqu'à m'étourdir revint à grandes enjambées. Je haïssais l'école du Gros-Morne avec son gros bâtiment jaune et sa cour asphaltée où trônait un énorme poirier-pays. Pourtant, ma maîtresse n'était pas une méchante femme mais elle n'accordait aucune attention à des attardées telles que moi. Je buvais son beau français brodé comme s'il s'agissait d'une prière, mais chaque fois qu'il lui arrivait de me poser une question, je me mettais en quatre pour trouver quelques mots de français dans les recoins de ma mémoire. Ma langue avait beau tenter trente-douze mille sauts périlleux dans ma bouche, aucun son n'en jaillissait. Des larmes me venaient presque au yeux tellement ce blocage me mettait hors de moi. Si bien qu'elle me lançait un de ces regards féroces que je me serais étalée de tout mon long par terre si j'avais été un coq de combat et ses yeux des éperons.

La maîtresse avait attaché un os de poule à un lacet de couleur noire et, chaque fois qu'elle surprenait l'un d'entre nous à s'exprimer en créole, elle le lui remettait d'autorité. Ce dernier devait à son tour surveiller ses camarades et, lui aussi, dès qu'il entendait quelqu'un utiliser notre parlure naturelle, il était autorisé à lui suspendre le lacet autour du cou. Ainsi, quand midi sonnait, celui qui arborait le lacet recevait vingt-deux coups de règle sur le bout des doigts et à quatre heures de l'après-midi, la maîtresse lui baillait le pensum d'écrire deux cents fois : « JE NE DOIS PAS PARLER CRÉOLE EN CLASSE. » Plusieurs élèves connaissant mon caractère soupe-au-lait, dès que l'un d'eux était affligé du lacet, il se mettait à me taquiner exprès pour que je tombe en colère et que j'injurie. Par conséquent, plus souvent que rarement, j'étais la victime expiatoire de la classe avec le lacet qui pendait sur mes petits seins. Un jour, la maîtresse fit venir ma mère et lui dit :

« *Votre fille a déjà deux ans de retard. Je ne crois pas qu'on arrivera à en tirer quoi que ce soit, elle a trop de difficultés en français. Je pense qu'il serait mieux pour elle que vous l'enleviez de l'école et que vous lui cherchiez un travail.*

— Le travail est devenu extrêmement rare de nos jours, madame...

— *Je sais, je sais, mais ce n'est pas en lui faisant perdre son temps ici que ça y changera quoi que ce soit,* reprit la maîtresse d'école.

— Merci, madame..., merci... », admit ma mère en lui tendant une igname-bocodji ainsi qu'une grappe de mandarines naines en guise de cadeau.

Pour ma mère, petite-bande n'était pas un vrai métier et devenir amarreuse comme elle dans la

canne du béké, ce n'était pas le destin qu'elle désirait pour sa fille car elle y avait trop souffert. Ce qui
fait qu'une idée germa dans sa tête : si elle m'envoyait en ville chez sa sœur Philomène, peut-être
que ce serait la solution rêvée...

CHAPITRE VII

QUAND les femmes du Morne Pichevin ont terminé de faire leur ménage, aux environs de neuf heures du matin, elles s'assemblent près de la croix et papotent, brocantent des ragots jusqu'à onze heures, moment où elles sont obligées de rentrer afin de bailler à manger à leur marmaille de retour de l'école. La ragoteuse en chef se trouvait être Mme Richard, une imposante bougresse, qui avait l'habitude de se baigner toute nue aux abords de sa maison, même s'il y avait des hommes dans les parages. Elle arrivait avec ses bigoudis dans les cheveux, posait une caisse de boissons gazeuses vide juste à l'ombre que faisait la croix et s'y affaissait en lâchant :

« Mes commères, bien le bonjour. Comment allez-vous aujourd'hui ? On m'apprend que la fille de Mme Bernard serait enceinte. Elle n'est pas du tout allée se faire opérer de l'appendice car, quand ce genre de choses se produit, on est forcé de rester à l'hôpital un bout de temps. Y' a deux ans de ça, mon frère a passé trois semaines sur un lit d'hôpital...

— C'est tout à fait vrai ! disait une autre femme en saisissant le ragot au bond. Tout à fait vrai ! Vous savez un truc, eh bien, je me suis aperçue qu'un métis syrien venait lui conter des galantises mais j'étais persuadée que mamzelle était une fille sérieuse. Ho-là-là ! Comment peut-on faire confiance à celles-ci de nos jours ? Dieu merci, je n'ai que des garçons.

— Un métis syrien, dis-tu ? insistait Mme Richard. À mon avis, c'est pas un métis syrien qui est le père de l'enfant. Vous plaisantez ! Le responsable est un type du Morne Pichevin et vous le connaissez tous ! »

Les femmes sursautèrent. Mme Richard en profita pour demander à Adelise d'aller lui acheter une bouteille d'eau de "Didier" ainsi que trois bonbons à la menthe à la boutique de Mme Cinna. Elle gloussait comme un coq d'Inde tellement elle était contente de son effet, contente de les avoir plongées dans la perplexité.

« Myrtha, c'est pas ton mari le coupable. T'as rien à craindre. Ha-Ha-Ha ! lança-t-elle en se grattant le mollet.

— Mon mari ? Je sais qu'il est coureur, ça tout le monde le sait, mais c'est pas un gars qui est capable de dépuceler des jeunotes qui n'ont même pas tout à fait terminé de téter le sein de leurs mères, répondit Myrtha quelque peu irritée.

— Qu'est-ce que t'en sais ? demanda une femme. Avec les hommes, quelle certitude pouvons-nous avoir ? Le mien m'a fait accroire pendant toute la saison du carême [26] qu'il aidait un de ses compères à construire sa case le soir, après qu'ils soient rentrés du boulot tous les deux. Mon œil ! Le type avait rendez-vous avec une pouffiasse de Ravine-Vilaine. On m'a même rapporté que c'est lui qui a trouvé un logement en cet endroit pour cette femme… »

Philomène ne rejoignait la petite troupe de ragoteuses que vers dix heures, en proie à des bâillements sans fin et les yeux exorbités. Dès qu'elle apercevait sa nièce Adelise, elle s'écriait :

« Ah ! On est déjà occupé à blablater. J'ai même pas entendu à quelle heure tu t'es réveillée ce matin… Madame Richard, comment vas-tu, ma commère ?

— Couci-couça, ma chère ! Je me débats dans les tracas. Ha-Ha-Ha ! Je vois que toi par contre tu te portes comme un charme…

— Qui, moi ? répondait Philomène. Si vous saviez combien je suis dans la merde. Je crois que plus on est haillons, plus les chiens prennent plaisir à vous mordre.

— Qu'est-ce qui t'est encore arrivé ? Bois une petite goutte de "Didier", ça te rafraîchira la gorge, ma fille. »

Philomène renversait le goulot de la bouteille dans sa bouche à la façon des hommes mais sans y coller ses lèvres. Elle avalait cette eau comme quelqu'un qui venait de faire une course-poursuite, humectant tout le devant de son corsage. Lorsqu'elle était présente, sa prestance faisait oublier aux autres que leur chef de camp était Mme Richard. Toutes l'admiraient car elle était la seule à pouvoir discuter d'égale à égale avec la reine des ragoteuses. Elles la valorisaient aussi peut-être parce que Philomène était une câpresse, à l'instar d'Adelise, et qu'elle n'avait pas les cheveux crépus comme des graines de bois d'Inde.

« Ce monsieur Féfé…, lâcha Philomène.

— Il t'a encore cabossée ? demanda une femme.

— Moi, cabossée ! Tu me prends pour toi qui permets à ton homme de te cueillir des mangues sous les côtes toute la sainte journée ? Ha-Ha-Ha ! »

Les femmes se plièrent en deux de rire. Mme Pierrette arriva avec une livre de pain et une boîte de fromage "La Vache qui rit". Elles se mirent toutes à grignoter. Puis, celle-ci fit le signe de la croix sur ses lèvres et déclara :

« Je ne vous ai rien dit, mais savez-vous ce qui est arrivé à la fille de Mme Bernard, pauvre diable ?…

— Pas du tout, mentirent les ragoteuses.

— N'allez pas rapporter que c'est moi qui vous l'ai dit ! Vous savez à quel point vous êtes malparlantes. Eh bien, hier soir, j'ai entendu Bernard causer avec mon homme… À ce qu'il paraît, la jeune fille aurait attrapé une maladie vénérienne.

— Une maladie vénérienne ? Mince alors ! s'exclama Myrtha.

— S'il te plaît, mamzelle Myrtha ! Je t'en prie, ne va pas diffuser partout que Mme Pierrette a dit qu'elle a entendu M. Bernard dire que sa fille a attrapé ceci ou cela… »

Mme Richard recracha bruyamment un peu d'eau de "Didier" sur le sol. C'était sa façon à elle d'indiquer à quelqu'un qu'il l'agaçait. Mme Pierrette se tut aussitôt. Elle jeta un regard en coin à Philomène pour voir si cette dernière viendrait à son secours mais la tante d'Adelise scrutait la rade, dans le lointain, bien qu'aucune voile ne striât le bleu de la mer. Alors Mme Pierrette finit par lâcher :

« Adelise, toi qui connais bien la fille de Mme Bernard, qu'est-ce qu'elle a ?

— Elle avait des élancements au ventre de temps à autre, je crois…

— Vous voyez ! reprit Mme Richard, elle n'a aucunement attrapé une maladie vénérienne, elle est trop jeune pour courir la picorée. Il se trouve qu'elle est enceinte, voilà tout ! »

Un silence aussi pesant qu'une roche de rivière s'installa. On lisait l'inquiétude sur l'ensemble des visages.

« Dans ce cas-là, c'est qui le père ? » demanda Mme Pierrette, les traits déformés par la soif de savoir.

Chacun cherchait une réponse au plus profond de soi. Un camion de boissons gazeuses venait de décharger dans un grand fracas quelques caisses devant la boutique de Mme Cinna. Des enfants qui n'étaient pas à l'école jouaient avec des bateaux construits avec de la parche de noix de coco dans une mare minuscule. Adelise éprouva un vif sentiment d'emmerdation dont elle ne parvenait pas à se dépêtrer et ressentit le désir d'aller se promener toute seule à travers la ville, aux abords du Bois de Boulogne ou des Terre-Sainvilles. Le bavardage des ragoteuses l'indisposait parce que, carême ou hivernage [27], elles n'avaient cesse de répéter les mêmes sottises à la Cour des Trente-Deux Couteaux. Elle se mit à regretter l'époque où sa mère et elle s'asseyaient devant leur case, à la brune du soir, et demeuraient silencieuses jusqu'à ce que l'obscurité tombât.

« Adelise, demanda Mme Richard, tu crois que ce type, le métis syrien, est le père ? »

Adelise tressaillit car son esprit s'était déjà envolé jusqu'à Miquelon. Elle secoua négativement la tête bien qu'elle n'eût pas entendu la question.

« C'est un nègre de par ici même qui est l'auteur de cette saloperie, je vous assure », dit Mme Richard d'un ton appuyé, examinant ses commères à tour de rôle dans le blanc des yeux.

Philomène s'en était allée acheter une autre bouteille de "Didier" pour Mme Richard ainsi que plusieurs bières "Lorraine" pour les ragoteuses. Ce qui fait que Myrtha, qui avait apporté une sorbetière, se mit à leur préparer du sorbet à la noix de coco. Chacune s'employait à en tourner la manivelle pour pouvoir se vanter après d'être celle qui l'avait fait prendre. Seules Mme Richard et Philomène ne participaient pas à cet amusement car elles se croyaient au-dessus des autres. Comme l'ombre de la croix était devenue insuffisante, elles se déplacèrent sous la véranda d'une maison abandonnée dont la carcasse était en train de s'effriter. À un moment, Myrtha déclara qu'elle allait faire pipi, franchit une porte à demi arrachée et pénétra à l'intérieur. Brusquement, les femmes entendirent un appel au secours et se précipitèrent à sa suite, croyant que quelque mygale venait de piquer Myrtha. Ce qu'elles découvrirent les statufia : à l'en-bas d'un prélard, il y avait une profusion de postes de radio, de machines à coudre, de fait-tout, de vêtements, de bouteilles de vin, de paquets de cigarettes américaines, de coutelas, de rouleaux de fil de fer, de boîtes de peinture, etc.

Mme Richard s'en approcha à pas comptés, ôta le prélard, découvrant de la sorte tout le lot de marchandises. Elles avaient devant elles un vrai magasin, une boutique de Chinois de Sainte-Thérèse [28].

« C'est ici qu'ils cachent les trucs qu'ils volent. Maintenant, je comprends ! fit Mme Richard avec satisfaction.

— Qui donc ? demanda Mme Pierrette. Fidélius, l'Haïtien ?

— Qui ? Mais nos gens, voyons ! Nos hommes !

Eh ben, Bondieu, vous vous imaginez que la vie est aussi facile à boire qu'un bol de toloman. Vous pensez que nos hommes ne savent pas se débrouiller eux aussi. Y' a pas que les nègres de Volga-Plage ou de Trénelle qui ont le droit de le faire ! Vous êtes marrantes ! fit la cheftaine des ragoteuses.

— Moi, j'ai rien à voir avec tout ça ! » lança Philomène aux autres avant de se retirer, l'air méprisant.

Mme Pierrette demanda aux femmes ce qu'elles comptaient faire, chose qui poussa Mme Richard à conseiller à chacune d'entre elles de prendre quelque chose dont elles avaient besoin, une seule chose, de la dissimuler sous leur jupon et d'aller la déposer immédiatement chez elles. L'une fonça sur un rouleau de toile, une autre se saisit d'une machine à coudre, une troisième empoigna deux gros fait-tout par les anses. Seule Adelise demeura de marbre comme une idiote. Puis, Mme Richard les poussa dehors en les avertissant :

« Les ma-cocottes, motus et bouche cousue, vous m'entendez ! Celle qui fera le malheur d'ouvrir sa boîte à chicots, elle peut être sûre d'avoir les pires emmerdements. En ce qui me concerne, j'ai rien vu, j'ai rien entendu, je sais rien du tout. Ce vase en cristal m'a été offert par mon filleul. Comme il vit jusqu'à Saint-Pierre, personne ne viendra lui demander des comptes...

— Impec' ! répondirent les femmes.

— Philomène, ohé ! Viens te servir avant que

tu n'ailles raconter qu'on t'a laissée toucher à rien. Je te connais, moi, fit Mme Richard. Ce n'est pas à un macaque qu'on apprend à grimper à un épineux. »

Mais Philomène demeurait à l'extérieur, immobile. Alors Mme Richard demanda à Adelise de pénétrer à nouveau dans la case abandonnée et de choisir quelque chose pour sa tante. La jeune fille observa l'amoncellement de marchandises d'un air apeuré. Elle ignorait ce qui aurait pu faire plaisir à sa tante puisque Philomène n'était pas une femme matérialiste. Sa propre nourriture, elle la grignotait au lieu de manger vraiment. Au bout d'un moment, Adelise aperçut une haute statue de la Sainte Vierge de couleur blanche et drapée d'un voile bleu. Elle la saisit par la tête mais elle était si lourde qu'elle ne parvint pas à la soulever du premier coup. Alors, elle la prit par le milieu, à deux mains, la hissa sur ses épaules et rejoignit les autres au dehors. Les femmes s'en étaient déjà allées depuis belle lurette, seule Philomène demeurait figée sous le soleil comme une égarée. Que lui arrivait-il ? Adelise ne l'avait jamais vue dans un tel état.

« Voici ce que je t'ai pris, dit-elle à sa tante.

— Ma fille !... Seins bien dressés ne durent qu'un temps... sache-le ! » répondit Philomène en repoussant la statuette qui tomba sur le sol et s'y fracassa.

Adelise fut stupéfaite : une bondieuseuse telle que sa tante, agir d'une façon aussi incompréhensible ! Si bien que la jeune fille la prit par le bras et la ramena à la maison, obligée presque de la tirer dans le chemin. Aussitôt arrivée, Philomène vida deux bouteilles de bière coup sur coup, puis elle s'affaissa sur son lit et prit sommeil. Adelise, pour sa part, s'abîma dans une profonde réflexion, cherchant à comprendre ce qui, dans le déroulé de la vie de sa tante, pouvait pousser cette dernière à la brûler ainsi par les deux bouts. On aurait juré que pour elle, vivre n'avait pas la moindre importance. Absolument aucune. Qu'entendait-elle par « Seins bien dressés ne durent qu'un temps » ? Les siens étaient encore bien fermes et les hommes adoraient les toucher. Elle était sans doute la plus jolie des péripatéticiennes du Morne Pichevin et de la Cour Fruit-à-Pain, avec sa peau couleur de cannelle et ses cheveux de câpresse. À un moment, Philomène appela Adelise, dans une sorte de demi-sommeil, et lui demanda de lui remplir une bouteille d'eau qu'elle plaça par terre, à la tête de son lit. Croyant que c'était pour s'humidifier le front pendant la nuit à cause de la chaleur, Adelise alla lui chercher également une serviette qu'elle rangea sur le bord du lit, puis elle sortit. L'angélus sonnait à l'église de Sainte-Thérèse et les chauves-souris avaient commencé leur ballet par-dessus les toits en tuile rouge des maisons. Elle avait l'habitude d'écarquiller les yeux pour tenter de suivre leurs zigzags, ce qui parfois lui baillait le vertige, à tel point qu'elle n'entendait même pas le vacarme des écoliers qui jouaient aux billes sur le chemin du retour. Certaines fillettes lui lançaient des saluts appuyés mais c'est à peine si elle leur rendait un sourire. Son esprit était à mille lieues d'ici.

« Hello ! lui fit Rigobert qui portait une caisse à outils sous le bras.

— Hello ! fit Adelise.

— Bon sang, qu'est-ce que j'ai pu bosser aujourd'hui ! dit le bougre. Regarde-moi, je transpire toujours. Autant qu'un bourreau qui revient du confessionnal ! Je suis sur un chantier de Dillon, on ne rigole pas là-bas !

— C'est quoi ce chantier ? demanda-t-elle pour ne pas le vexer.

— On construit des maisons ! Comment ça, tu ne sais pas qu'au fur et à mesure, on enlève la canne à Dillon pour la remplacer par des maisons ? Moi, je trace des canaux, mais parfois on m'envoie travailler à la maçonnerie. Il faut être un vrai Michel Morin de nos jours sinon on se fait renvoyer de tous les chantiers. T'as qu'à voir ce qui est arrivé à compère Luco ! S'il demande la charité aujourd'hui, c'est parce qu'il ne voulait rien entendre. Plus je l'asticotais : "Luco, ça suffit pas d'exhiber tes muscles pour décharger des caisses de morue séchée, apprends à faire quelque chose de tes dix doigts." Tu parles ! Il voulait pas m'écouter puisqu'il était le roi des djobeurs du Bord de Mer. Eh ben, lorsque le métier de djobeur s'est mis à disparaître, monsieur s'est retrouvé le cul à l'air. »

Se rendant à l'évidence que la jeune fille n'était pas désireuse d'entamer une longue conversation, Rigobert prit congé d'elle et monta chez lui. Le plus drôle c'est qu'Adelise souhaitait qu'il restât lui parler. Parler comme il savait si bien le faire, sans médire d'autrui, sans se plaindre. Le comportement des nègres d'En-Ville emplissait de curiosité le cœur d'Adelise. Combien qu'elle sût que c'était chose impossible, elle imaginait parfois qu'elle aurait bien passé une journée entière aux côtés de Rigobert, juste pour voir si l'humeur du bougre demeurait aussi parfaitement égale que celle qu'il avait l'habitude de montrer. Les gens du Morne Pichevin avaient coutume de dire que Rigobert était « quelqu'un auquel rien ne pouvait arracher la moindre émotion ». Et puis Adelise l'appréciait aussi parce qu'il était le seul mâle dans les parages qui ne cherchait pas à lui conter des galantises. Tous les autres, coureurs de jupons invétérés, se pavanaient devant elle, lâchant des propos doucereux à-quoi-dire du sucre trempé dans du miel, lui proposant des colifichets, s'offrant pour l'emmener voir un film au "Bataclan", lui mignonnant même les bras et les joues quand ils le pouvaient. Mais Rigobert, lui, ne faisait rien de tout cela. Le bougre ne prêtait pas attention à la belleté d'Adelise. Il ne remarquait celle d'aucune femme. Pour lui, toutes les femmes se valaient et dès que l'une d'entre elles lui faisait une ouverture, il fondait sur elle aussi vite qu'un merle qui aurait aperçu un morceau de pain posé au rebord d'un auvent.

Adelise regagna la maison au moment où, par en bas, les poteaux électriques se mirent à illuminer la place de la Savane. Sa tante l'appela et lui dit :

« Va voir quel résultat ça m'a baillé, ma chérie ! », en lui tendant la bouteille.

Une mixture blanche se mouvait à l'intérieur de celle-ci, s'étirait, s'allongeait et se rétrécissait sans discontinuer. Selon la manière avec laquelle on tenait la bouteille, elle dessinait une pluie d'étoiles au mitan de laquelle on distinguait la tête rondouillarde du soleil ou au contraire une paire de mulets en train de haler un cabrouet [29] ou encore un grouillis de sangsues qui se battaient pour pouvoir sucer quelque chose ou même un pays avec ses mornes, ses rivières et ses bourgs, etc. Adelise esquissa un petit sourire quand elle finit par identifier ce que cela représentait exactement. Elle était persuadée que les gens d'En-Ville ne croyaient pas à ces simagrées de campagnards et, après tout, cela ne se pratiquait qu'à l'époque des Rois. Pas n'importe quand. La jeune fille se souvint de sa mère qui, dès la veille au soir, cherchait quatre œufs frais, se réveillait vers minuit, vidait leur contenu dans une fiole remplie d'eau et se recouchait jusqu'à ce qu'elle entendît les premiers battements d'ailes des coqs au-dehors. Elle secouait alors Adelise, la conduisait dans la cour en dépit de la légère froidure de la rosée, soulevait la fiole et demandait, taraudée par l'inquiétude :

« Ma fille, que vois-tu ? Si c'est pas la même chose que moi, ne prends pas la peine d'ouvrir la bouche... Pour ma part, j'aperçois des verres, des fourchettes, des fait-tout, des choses de ce genre, ce qui veut dire que cette année, la déveine nous baillera peut-être un semblant de répit... Merci Bondieu, merci beaucoup. »

Plus souvent que rarement, Adelise n'osait pas révéler ce qu'elle voyait vraiment afin de ne pas contredire sa mère, sachant que cette dernière avait besoin d'espoir, fût-il aussi chimérique que celui du papayer mâle qui veut fleurir, cela au début de chaque année, pour lui permettre de se ceindre vaillamment les reins dans les champs de canne à sucre du blanc-pays. Si bien que lorsque sa tante lui tendit la bouteille, son cœur s'emballa car c'était la première fois de son existence qu'elle avait la possibilité de décrypter ce symbole toute seule. Sa main, à cet instant-là, était toujours en proie à une petite tremblade et elle devait faire preuve d'une extrême précaution pour que la fiole ne tombe sur le sol et ne s'y écrase. La nuit entreprit d'envelopper le Morne Pichevin et les lampes s'allumaient une à une dans les cases. Adelise examina la bouteille mais ne réussit pas à distinguer quoi que ce soit car la clairété était trop faible et puis, au fur et à mesure, ses yeux s'y habituèrent et elle attendit que le blanc d'œuf se pose tout au fond pour l'examiner à nouveau. Ce qu'elle découvrit lui coupa tellement le souffle que le cri qui tentait de s'échapper de sa gorge y demeura bloqué net :

« Un cercueil ! Un cer-cer-cer... cueil-cueil-cueil... » balbutia-t-elle.

Plus elle écarquillait les yeux, plus elle le voyait distinctement. Elle se mordit les lèvres pour ne pas fondre en larmes, puis elle s'assit sur une roche et

se mit à attendre quelque miracle. Rien à faire : le
cercueil était bel et bien là. Elle avait beau secouer
la bouteille en tous sens, la retourner, le blanc
d'œuf continuait à dessiner la perspective d'un cercueil. Elle eut l'idée de la jeter dans les halliers et de
rentrer dans la case pour dire à Philomène qu'elle
s'était brisée par terre mais quand elle songea à la
colère qui ne manquerait pas de s'emparer de sa
tante, elle recula. Au bout d'un moment,
Philomène l'appela :

« Adelise, ohé ! Que vois-tu, ma chérie ?...
Approche donc !

— Je... Je... Je viens...

— Allons, presse-toi ! T'aimes rester tant que ça
dans la fraîcheur du serein !

— Me voici, me voici... »

Philomène était recroquevillée sur son lit et se
tenait le ventre. Celui-ci devait la faire horriblement
souffrir car depuis quelque temps le docteur l'avait
avertie qu'il faudrait qu'elle se fasse opérer d'un
fibrome, mais elle n'en avait cure. Adelise sentit
qu'elle n'avait pas le droit de lui révéler la vérité
alors elle se fabriqua un faux sourire et lui murmura :

« Tatie... je crois que tu es une négresse chan-
ceuse... J'ai vu un grand bateau dans la bouteille,
entouré d'une large voile blanche...

— C'est vrai ! Ah, je savais bien que ce jour-là
arriverait ! » cria presque Philomène, s'efforçant de
se redresser sur le lit sans succès. « Laisse-moi t'embrasser, ma fille ! Je l'ai toujours dit et répété que le

Bondieu existe. Ce n'est pas possible que je reste là à voir de la misère sans qu'un jour je n'aie une embellie. Ton tour arrivera, ma fille, t'en fais pas ! Un proverbe prétend que pour un nègre, la déveine dure vingt ans mais quand elle est finie, elle l'est pour de bon ! »

Alors elle expliqua à Adelise que la toile blanche représentait un voile de mariée, ce qui signifiait qu'elle aurait la bague au doigt dans le courant de l'année et le bateau voulait dire qu'elle voyagerait à l'étranger avec son époux.

« Y' a deux endroits où je meurs d'envie de me rendre, se mit-elle à rêver, Cayenne et le Bénézuèle... Cayenne parce qu'on y trouve de l'or et de beaux bijoux. Le Bénézuèle parce que je raffole de la musique latine. Quand je l'entends, je suis exaltée... Je me sens vivre pleinement... Et toi, ma chérie, où t'aimerais voyager ?

— En... En France, répondit Adelise sans réfléchir.

— Pour sûr, la France doit être un beau pays. On est français, faut donc qu'un jour on connaisse notre pays, c'est ce que je me suis toujours dit mais il faut dégoter un sacré paquet de fric pour pouvoir payer le passage en bateau. Et puis, en France, on n'accepte pas n'importe qui. Faut que tu saches bien t'exprimer, que tu sois toujours proprement vêtue et que tu connaisses les règles de la politesse. Vois comment les blancs-France qui vivent en Martinique se comportent bien, y' a que les nègres qui font de mauvaises manières. »

Philomène s'endormit au beau mitan de son discours. Adelise alluma une bougie, examina à nouveau la bouteille et n'y distingua plus rien. On aurait juré que le blanc d'œuf s'était dissous dans l'eau et l'ensemble ressemblait à du sperme. Cela lui bailla un courage neuf. Elle se saisit d'une bassine, se rendit derrière la case, se propreta l'entre-cuisses avant de se jeter à son tour dans son lit...

CHAPITRE VIII

I L AVAIT l'allure du parfait bouseux.
La première fois que je le vis, c'est ce terme
quelque peu méprisant qui me vint aussitôt à l'esprit : bouseux. On aurait dit que sa grosse mallette
l'embarrassait entre ses mains et il n'avait d'yeux
que pour la pointe de ses orteils comme un bougre
qui aurait perdu son chemin. Rigobert et les autres
buveurs de rhum invétérés l'avaient emmené "Aux
Marguerites des marins" avec eux, lui baillant sans
arrêt de grandes tapes dans le dos, lui lançant de
grosses plaisanteries et lui faisant boire moult
punchs. Homère demeurait la bouche cousue en
dépit de tout le cinéma qu'ils faisaient avec lui.
Pendant que je leur servais leurs rations de rhum, je
pris soudain conscience que nos regards s'étaient
croisés et je sentis une sorte de frissonnade se

Adelise's feelings towards men

faufiler dans la raie de mon dos. Je sursautai, n'ayant jamais éprouvé semblable sentiment. Pour moi, les hommes étaient seulement ces bourgeois vicieux qui me déshabillaient à la hâte dans leurs chambres luxueuses lorsque leurs femmes étaient sorties. Je ne les haïssais ni ne les aimais. Je m'en foutais. Ils pouvaient s'emparer de mon corps, le caresser, le presser, le sucer, s'adonner à toutes les cochonneries qui leur passaient par la tête, cela n'avait pas de quoi éveiller en moi la moindre émotion. Depuis l'époque de mon enfance, passée dans les petites-bandes des champs de canne de Rivière Lézarde, j'avais abandonné mon corps aux hommes. Les terres sont la propriété du béké, le corps des femmes celle des commandeurs au premier chef, des coupeurs de canne par la suite. Telle était ma conception des choses. Dès l'instant où mon âme demeurait mienne, dès que je conservais le pouvoir de m'envoler dans un rêve éveillé quand l'envie m'en prenait, eh ben, je me portais comme un charme. Je n'avais aucunement besoin d'une main secourable !

Ce même jour, un bateau appelé *Colombie* était arrivé au port, me souvient-il, et je surpris Homère à scruter sa cheminée rouge d'un air stupéfait. Rigobert, qui n'avait pas trouvé d'embauche ce matin-là, n'étant pas docker titulaire, avait tout son temps devant lui, c'est pourquoi il bavardait à n'en plus finir. Il voulait tout savoir de la vie d'Homère.

« Tu viens du Lorrain, verbiageait Rigobert. C'est un coin super ! Je suis déjà allé jouer aux dés dans une campagne appelée Morne Céron, à l'époque de la fête patronale. Les gens m'ont offert le boire, le manger et le dormir. C'est tout juste s'ils ne m'ont pas refilé l'une de leurs mignonnes petites chabines. Ha-Ha-Ha !

— T'es chanceux, fit Richard. T'es chanceux, l'ami.

— Qu'est-ce que tu veux dire ?

— Joue pas à l'ignorant ! reprit Richard. Tu ne sais pas que les chabines mordent les oreilles en faisant l'amour. Ha-Ha-Ha ! »

Et tous, y compris Homère, s'esclaffèrent. Puis Rigobert m'appela et me demanda :

« Adelise, ce jeune bougre a pour nom Homère. Je crois qu'il vient du Lorrain. Faut qu'on se démerde pour lui trouver un logement, ta tante connaîtrait pas un truc à louer par ici, des fois ?

— Je sais qu'il y avait... qu'il y avait une chambre de libre à la Cour Fruit-à-Pain la semaine dernière..., bredouillai-je.

— Non ! intervint Richard. Cette chambre appartient à un de mes compères, un griffe qui élève des coqs de combat. Vous savez qui c'est, mais oui, Eugène Siméon, celui dont on prétend qu'il fait des séances [30]. Il vient de louer cette chambre à un Saint-Lucien qui travaille dans les tinettes [31]. »

Les boissonniers en étaient à consommer leur deuxième bouteille de rhum Courville et étaient tellement gris qu'ils étaient prêts à se décarcasser pour dénicher au bouseux d'Homère un logis. Chaque fois que je passais près de leur table afin d'aller servir d'autres clients, le même sentiment étrange s'emparait de moi, au mitan du cœur cette fois-là et, bien que l'envie me démangeât d'engager la conversation avec Homère, de brocanter deux mots et quatre paroles avec lui comme je le faisais avec tous les habitués du bar, je me sentais comme prise à la gorge. Tout comme Homère, l'amour venait de me frapper d'un coup de poing. J'éprouvais la chaleur de son regard sur mon corps quand j'avais le dos tourné, mais il feignait d'observer les rangées parfaitement alignées des bouteilles sur le comptoir. Heureusement que personne n'avait remarqué le trouble qui faisait frissonner Homère et moi, sans quoi les clients n'auraient pas manqué de se gausser bruyamment de lui. Cela ne signifiait pas qu'ils étaient méchants dans l'âme mais l'existence dans laquelle ils se trouvaient plongés, dans le bidonville du Morne Pichevin, cette existence faite de coups de jambette pour une petite parole de trop, de combats au rasoir, de larcins ou de jobs pour de la menue monnaie, ne leur permettait pas de comprendre ce que signifiait le sentiment amoureux.

J'éprouvais de l'amour pour Homère. Cela s'est passé sans que j'y prenne garde. Au premier coup d'œil, ce fameux jour, je me suis dit que c'était le seul homme avec qui j'accepterais de vivre en ménage. Il avait une manière d'être différente des autres hommes. Ce n'était pas dû à son aspect campagnard, ni à une certaine belleté qui chez lui était supérieure à celle des autres, mais à son style, à son comportement qui me faisaient penser tout à fait à mon arbre. Homère était un nègre enraciné, planté fermement dans le sol. Il n'était pas un quelconque citadin perdu dans le tourbillon des événements douteux qui se déroulaient en ville. Quand j'observais Homère, il me semblait revoir le quartier Glotin et ses savanes à bœufs, je sentais l'odeur des cannes à sucre que l'on venait de couper, chose dont je rêvais la nuit depuis mon arrivée à Morne Pichevin. Aussitôt que le sommeil s'emparait de moi, je retournais à Glotin. Les courses-poursuites du vent dans les bambous imprimaient un ténu balancement à ma chevelure et j'oscillais sur la nervure d'une flèche de canne dans le ciel couleur de caïmite [32], un chant d'espoir sur les lèvres. Les paroles de ce chant n'étaient pas composées de mots de tous les jours, c'est pourquoi, le matin, j'étais incapable de les retrouver. Elles me laissaient un sentiment de douce ivresse qui me baillait force et courage pour affronter la vie.

« C'est ma tournée à présent, fit abruptement Homère.

— Bravo ! » s'exclamèrent les autres en applaudissant.

Sa voix que j'entendais pour la première fois me confirma l'espèce de puissance que je devinais en Homère. Il me faudrait lui demander s'il connaissait le nom de mon arbre. Peut-être poussait-il chez lui aussi, au Lorrain. Je n'avais même pas pris la peine de demander aux nègres d'En-Ville quoi que ce soit à ce sujet car ils n'auraient pas été fichus de me fournir ce renseignement. Seule Tatie avait tenté de m'aider :

« Cet arbre dont tu me parles, il ressemble au cachimantier [33] mais, apparemment, le cachimantier ne fabrique pas de fleurs blanches. Je ne m'en souviens plus très bien… »

Quand les amateurs de tafia devenaient fin saouls, ils se mettaient à raconter des blagues cochonnes. Richard me lança :

« Hé gamine, ferme la fenêtre de tes oreilles, s'il te plaît !

— Les amis, continua Rigobert, laissez-moi vous raconter l'histoire de cette femme mariée qui a baillé à son mari la quéquette de sa maîtresse en guise de bouffe.

— Raconte-la-nous ! Vas-y ! s'écrièrent-ils d'une seule voix en faisant tinter leurs petites cuillères contre leurs verres.

— Ça se passe en un endroit du Vauclin appelé Château-Paille, au cours de l'année 1910-1911, je crois. Château-Paille est une sorte de mangrove largement ouverte sur la mer où les gens avaient l'habitude d'attacher leurs cochons. Le type dont je vous parle rejoignait sa maîtresse vers les dix heures du matin, quand la femme allait porter à manger à ses bêtes. Mais voilà que l'épouse découvrit la vérité ! Vous savez comment les ragots circulent vite dans ce pays. Un jour, elle attrapa son coutelas, surveilla les deux amants, attendit la fin de leurs ébats et puis elle arrêta la maîtresse sur le chemin du retour, lui infligea une volée de coups de coutelas jusqu'à ce qu'elle la tue. Après ça, elle ouvrit les cuisses de la malheureuse, découpa sa quéquette, apporta la viande à la maison et la fit cuire avec des pois rouges pour son mari. Quand l'homme arriva à midi, son épouse lui dit d'une voix caressante :

"Chéri, je t'ai préparé un bon petit plat."

Puis elle lui déposa la quéquette et les pois rouges sur la table avec une musse [34] de vin. L'homme était aux anges et s'aiguisait déjà la langue. Au bout d'un moment, il lui demanda :

"C'est quoi cette viande que tu m'as préparée là ? Qu'est-ce qu'elle est dure, hein !

— Une viande que tu aimes, lui répondit sa femme.

— Je te dis qu'elle est plus dure que du caout-chouc, bon sang ! Regarde-moi ça ! protesta le mari en cherchant en vain à arracher un morceau.

— C'est une viande que tu aimes, je te répète. Une viande que tu préfères à toutes les autres, une viande dont tu te régales tout le temps !... La viande de quéquette de mademoiselle Unetelle..."

L'homme se précipita au-dehors en vomissant ses tripes et comme à cette époque-là, quand les nègres s'étripaient entre eux, la justice des blancs-France faisait le m'en-fous-ben, eh bien l'épouse ne fut condamnée qu'à une misérable petite année de geôle. Pas davantage...

— Mince alors ! qu'est-ce qu'il connaît de belles histoires, ce gars-là ! Rigobert, d'où tu tires ces affa-bulations, mon ami ? » demanda le buveur de tafia. Les autres n'avaient dit mot tellement ils étaient plongés dans la rigoladerie. Seul Homère avait eu un sourire coincé comme si ce qu'avait raconté Rigobert lui faisait davantage de peine qu'autre chose. Ils l'observèrent à la manière d'un spectre. Ce n'était que maintenant qu'ils prenaient conscience du fait qu'il était un étranger, qu'ils ne l'avaient rencontré que tout juste le matin même, au pied du Morne Pichevin, quand il avait débarqué de son autobus. Ils n'avaient fait que l'entraîner à leur suite, sans même lui demander ce qu'il avait comme intention au juste et voilà que maintenant, ils découvraient qu'il existait un profond fossé entre eux et lui.

« Les femmes… les femmes, hon ! » essaya de discourir Rigobert mais il ne poursuivit pas son idée plus avant car le tafia le bloquait.

J'avais envie d'envelopper Homère autour de moi et de l'embrasser à en perdre haleine, lui embrasser le visage, le cou, les mains. J'avais envie de sentir son corps contre le mien. J'étais devenue quelqu'un d'autre ce jour-là car cet homme avait arrosé les savanes sèches de mon cœur. Je ressentais à nouveau la même joie enfantine qui m'assaillait quand, à Glotin, j'allais chercher un peu de fraîcheur auprès de mon arbre, au fond du jardin. Homère avait subitement pris la place de mon arbre et je me dis qu'il fallait que je vive avec lui pour que je parvienne à guérir la blessure qui me tisonnait depuis mon arrivée dans l'En-ville. Tant pis pour les réactions de ma tante ! Je savais qu'elle élèverait les plus vives protestations, elle qui haïssait la race masculine au plus secret de ses entrailles. Si elle avait la possibilité de faire cuire des braquemards et de les avaler toute la sainte journée, sûr et certain qu'elle ne trouverait pas leur viande trop dure !

Un type débarqua dans le bar. Il s'agissait d'un Couli [35] du quartier Au Béraud appelé Rangassamy. Il leur lança à tous, les boissonniers :

« Hé les Goldénistes [36], vous me payez pas à boire ?

— Fais le mariole, espèce de couli mendiant, rétorqua Richard. Le Club Colonial [37] saura à quoi s'en tenir samedi prochain. On m'a dit que le Good Luck [38] est fin prêt pour vous…

— On verra samedi, compère, on verra. En tout cas, le Club Colonial a foutu au Golden Star trois sacrés beaux buts dans le cul. Ha-Ha-Ha ! Tonnerre de dieu, z'avez vu ce shoot que Louis-Joseph a placé dans la lucarne du gardien de but ! Louis-Joseph a fait un modèle d'amorti de la poitrine, il a feinté deux de vos arrières, il a placé la balle sur son pied gauche et puis, but !… BUT ! » disait Rangassamy en mimant les gestes du footballeur.

Richard et Rigobert étaient hors d'eux. Ils étaient obligés d'offrir un punch au Couli car lorsqu'ils le rencontraient en train de balayer les caniveaux de La Levée, ils le charriaient quand il arrivait au Club Colonial de perdre. Si bien que le bougre leur proposa de parier un coup de tafia sur le match Club Colonial-Good Luck.

« Et alors, j'attends ! » reprit Rangassamy, debout au beau mitan du bar sans que personne ne lui propose de s'asseoir.

« Le cul de ta mère, espèce de Couli bouffeur de chien que tu es ! lui gueula un des saoulards.

— Qu'est-ce qui se passe…

— Fous-moi le camp ! » intervint la patronne de "Aux Marguerites des marins" en bousculant le Couli au dehors. Allez, ouste du pas de ma porte ! »

Homère fut saisi devant une telle injustice.

« C'est tuberculeux en plus ! lui expliqua la dame comme si elle voulait justifier son comportement.

— Eh ben, mon garçon, puisque t'as encore nulle part où crécher, fit Rigobert, ce soir tu dormiras chez moi et demain, si Dieu veut, on avisera. Qu'en dis-tu ? Je t'avertis, ma case est sale, les rats y donnent des bals sous le plancher pendant la nuit et quand y' a une une grosse pluie, des gouttes d'eau tombent du toit.

— Merci beaucoup… » répondit Homère.

Ils se levèrent, saouls comme une bande de mulets bâtés. L'air du dehors étouffait de la chaleur de midi et la pâleur des bateaux dans le port blessait les yeux. Chacun lâcha quelques pièces de menue monnaie sur la table sans regarder combien ils en avaient ôté de leur poche. Homère chercha mon regard et me sourit. Mon cœur se mit à battre une musique de bel-air [39]. Ce n'est qu'après leur départ que je m'aperçus qu'Homère avait oublié sa mallette au pied de la table. Je m'en saisis et me mis à courir à leur poursuite. Ils descendaient d'un pas vif vers le Pont Démosthène. Homère n'était pas avec eux ! J'avais beau regarder de tous côtés, je ne voyais même pas l'ombre de sa personne. Et puis je sentis une main, derrière mon dos, qui se posa sur la mienne avec une douceur dont je n'avais jamais fait l'expérience. Homère me fit :

« Baillez-la-moi, elle est lourde. J'étais persuadé de l'avoir oubliée dans l'autobus. Je vous remercie infiniment, Adelise... »

Il rejoignit alors les autres prestement. Je demeurai plantée là un siècle de temps, plongée dans mes rêves, sous l'effroyable chaleur de midi...

CHAPITRE IX

L E CARNAVAL nous arrivait dessus à la galopée.
Dès le premier dimanche du mois de janvier,
les masques faisaient leur sortie, masques mal-
propres qui battaient le tam-tam sur des pots de
chambre ébréchés, masques échassiers qui tourne-
viraient sur leurs jambes effilées. Ils jaillissaient
comme une armée de rats de Sainte-Thérèse, de
Volga-Plage, de chez nous même, le Morne
Pichevin, de la Trénelle, du Bord de Canal, et enva-
hissaient la place de La Savane ainsi que les rues
étroites d'En-Ville.

Ma tante me conduisait auprès de son ami de
cœur, Féfé-la-prestance, lequel habitait à la Cour
Fruit-à-Pain. Le bougre prenait une année entière
pour préparer son masque : une tête de diable rouge
en bois couverte de minuscules miroirs et un long

fourreau rouge au dos duquel il y avait une sorte de
cape noire. C'était le seul moment où l'on pouvait
voir Féfé travailler. Des gens de partout venaient lui
commander des masques et, menteur dans l'âme, il
prétendait avoir des clients à l'étranger certaines années. Le reste du temps, il vivait grâce à la généro-
sité de Philomène. Il avait les ongles toujours
propres, le pantalon repassé à l'équerre et les
chaînes en or qui lui pendaient au cou diffusaient
plus d'éclats de lumière que le cimetière de La
Jossaud. Le matin, notre homme s'habillait avec autant d'élégance que quelqu'un qui se rend à une
noce, puis il descendait le boulevard de La Levée,
s'arrêtant dans chaque débit de la Régie [40] ou salon
de coiffure afin de blaguer. Ce qui fait qu'il mettait
une matinée entière pour se rendre du Pont
Démosthène à la Croix-Mission et quand il parvenait enfin au terme de son périple, il était au courant
de tous les secrets d'alcôve de Fort-de-France.

D'ailleurs, c'était lui que les politiciens venaient
consulter en période électorale. On voyait des ra-
fales de grosses limousines garées aux abords de sa
case en tôle ondulée et, deux jours plus tard, des
haut-parleurs attachés aux arbres-à-pain diffusaient
d'interminables discours. Féfé était communiste
lorsque ces derniers avaient eu le temps de lui demander son aide les premiers, mais s'il s'agissait de
gens de droite, le bougre se mettait à chanter *La
Marseillaise* comme une poule qui vient de pondre.
C'est lui qui m'a embarqué Homère dans cet em-
brouillamini qu'est la politique, un type comme

Homère qui ne parvenait à distinguer que du noir sur du blanc quand il avait une feuille de papier sous le nez. Ainsi donc, quelque temps avant le deuxième dimanche du mois de janvier, Féfé fit dire à ma tante qu'il avait besoin de me parler. Je ne lui avais jamais adressé la parole car il exhibait un français trop pompeux et avait la démarche princière. Sa personne dépassait de beaucoup la mienne bien qu'en réalité, c'était l'argent que je ramenais qui lui permettait d'acheter des vêtements à la dernière mode comme il en arborait. C'est l'unique raison qui me semble expliquer pourquoi la case de Tatie demeurait aussi démunie que la première fois que j'y étais entrée : une vieille chaise qui se cabrait sous votre arrière-train, un lit, quelques étagères et voilà tout. Tatie me disait :

« Je t'ai ouvert un compte à la banque, t'en auras besoin le jour où tu buteras sur quelque occasion de te marier, ma fille. »

Mais je savais pertinemment qu'il ne s'agissait là que de menteries visant à m'épater. La banque en question n'était autre que les poches de Féfé-la-prestance et c'était la sueur de mon front qui lui permettait de continuer à faire le paon devant les gens. On affirmait qu'il possédait moult femmes et enfants mais aucun d'eux ne portait son nom car il ne cessait de répéter :

« Les amis, mon nom c'est ma force, c'est mon talisman, ma protection. Je ne dois le livrer à personne. Appelez-moi Féfé-la-prestance ! N'est-ce-pas ce qui vous fait plaisir ? »

Était-il un nègre d'En-Ville ou un campagnard ? Où avait-il grandi ? Qui étaient ses parents ? Nul ne le savait non plus. Quoiqu'il eût à peu près l'âge de Philomène, c'est-à-dire une quarantaine d'années, on aurait juré qu'il avait toujours vécu à la Cour Fruit-à-Pain et les vieux eux-mêmes ne se souvenaient pas de la date à laquelle il était venu y habiter et y avait construit sa case. Heureusement qu'il avait choisi la Cour Fruit-à-Pain car il n'y vivait pratiquement que des femmes seules et ces dernières lui montraient du respect, voire de l'admiration.

Mais, en ce qui concerne les hommes du Morne Pichevin, ils détestaient ce qu'ils appelaient ses « manières de ma-commère », tous ces parfums, ces bagues et ces chaînes avec lesquels il faisait le beau. Féfé-la-prestance n'était peut-être monté qu'une seule et unique fois chez Tatie. Il n'aborda jamais plus les quarante-quatre marches. Plus jamais. Rigobert, Richard ainsi que les autres djobeurs, qui jouaient au jeu de quine au pied de la croix, le firent détaler comme un lapin. Il faut dire que dans leur for intérieur, ils s'imaginaient que Féfé s'adonnait à la magie et, en effet, séanciers [41], quimboiseurs [42], mentors [43], melchiors [44], toutes ces espèces d'engagés avec le diable, ne pointaient pas le nez à Morne Pichevin. On n'y acceptait même pas leur ombre.

« On est des voyous, c'est vrai, philosophait Rigobert d'un ton grandiloquent. On sort nos jambettes en un battement d'yeux, mais on est des nègres sains. On n'a pas d'accointances avec le Diable !

—Vous n'êtes qu'une bande de couillons, voilà ! hurla Tatie quand elle vit la pluie de gifles et de coups de poing qui s'abattit sur son ami de cœur. C'est vous les démons puisque z'êtes pas foutus de poser le pied sur le parvis d'une église. Je vous mets au défi d'aller vous confesser, sacrés fils de l'adultère que vous êtes ! »

Tandis qu'elle les injuriait, ma tante chercha à protéger son homme de son propre corps et quand les nègres du Morne Pichevin s'aperçurent qu'ils étaient en train de cogner Philomène, ils s'arrêtèrent. Féfé s'enfuit dans les quarante-quatre marches dans une sorte de glissade effrénée.

« Comment, mais tu perds ton élégance, mec ! lui lança Richard pendant que les autres éclataient de rire.

— Fais gaffe à ce que ta prestance ne chavire pas dans la boue ! » s'écria un autre.

Tatie étouffait de colère.

« Le Bondieu vous punira, bande... bande de salauds ! bégaya-t-elle, les larmes aux yeux.

— Le Bondieu ? rétorqua Richard. Tu demandes la protection du Bondieu pour ton pédé mais il se déguise en diable pour courir les défilés de carnaval. Ha-Ha-Ha ! »

Les voyous se mirent à déconner à plein tube. Quand Tatie se rendit compte qu'elle était dans la mouise, elle examina les alentours et comprit que la seule solution était d'en rire si elle ne voulait pas devenir à son tour la risée du bon peuple. Alors elle se mit à rire, à rire, jusqu'à en avoir mal au ventre. C'est quand les hommes du Morne Pichevin voyaient de semblables transformations chez elle qu'ils concluaient :

« Fichtre ! Cette gonzesse a des couilles ! »

Je ne m'étais jamais rendue toute seule chez Féfé car ma tante savait bien qu'il était un cour-sailleur de jupons. Ce n'est pas qu'elle se fît une trop haute image de sa personne mais Tatie n'arri-vait pas à admettre que sa nièce et elle partagent le même homme. Et cette idée, Féfé était assez intelli-gent pour la comprendre, ce qui fait qu'il ne m'avait jamais glissé de sous-entendus quand bien même ses yeux dévoraient mes seins quand je me trouvais près lui. Tatie était en ses périodes et dans ce cas-là, elle était contrainte de rester allongée pendant deux jours tellement sa matrice la faisait souffrir.

« Reviens avant l'angélus, ma fille », réussit-elle à me dire d'une voix chevrotante.

Féfé était assis derrière sa case, le col largement ouvert, sur le bord d'un fût d'huile, en train de lire *La Paix*, le journal catholique. Mais lorsqu'on péné-trait à l'intérieur, on découvrait que les cloisons étaient tapissées de pages de magazines féminins qui montraient des actrices de cinéma. Quand il me vit arriver, il fut pris d'un léger tressaillement mais se reprit aussitôt et me demanda des nouvelles de son amoureuse. Il m'offrit prestement une chaise qu'il nettoya à l'aide d'un morceau de toile.

« T'as quel âge ?

— Vingt-trois ans…, fis-je.

— Vingt-trois ans, vingt-trois ans… un bel âge… Homère t'a donc demandée en mariage ?

— Pas encore, répondis-je. Il m'a demandé de vivre en ménage avec lui. Il doit louer une chambre le mois prochain… »

Il commença à gratter la toison crépue de sa poitrine, en proie à une profonde réflexion. Il devait être deux heures de l'après-midi et la sueur lui dégoulinait sur les bras. Quand il n'arborait pas tous ses chichis, Féfé était un homme comme les autres, sans rien qui pût permettre à une femme de le distinguer d'eux. Nos yeux se croisèrent une fraction de seconde et j'eus le temps de discerner l'espèce de cruauté qui faisait frissonner Tatie lorsqu'il lui parlait.

« T'en pinces pour Homère ? me demanda-t-il à nouveau.

— Oui… et puis c'est le seul homme qui m'a offert de vivre avec lui…

— Ha-Ha-Ha ! j' voulais pas rigoler aujourd'hui. Tu me feras croire aussi que c'est lui qui t'a déflorée ! Ha-Ha-Ha ! Homère ?… mais ce mec est un bouseux, un empoté, un gars qui a été élevé à la campagne et qui connaît que dalle. Tu vas quitter ta tante qui s'est tant sacrifiée pour toi et ça, pour vivre avec un moins que rien de son espèce !

— Ça ne te regarde pas ! répondis-je, étouffant de colère.

— T'en fais pas pour ça, Adelise, reprit-il d'une

voix douce. Tu t'énerves vachement vite, bon sang !
Je sais que tu en pinces pour Homère et lui pareil.
Ça, j' le sais. Mais de quoi vivrez-vous quand vous
serez ensemble ? De quoi ? Homère ne fait que des
jobs de temps à autre pour la mairie de Fort-de-
France et ne gagne que des clopinettes. Toi, c'est à
savoir si tu seras pas obligée de retourner chez les
bourgeois qui vivent près de la cathédrale. Ha-Ha-
Ha ! »

Homère ignorait qu'avant que je ne commence
à travailler "Aux Marguerites des marins", je ven-
dais ma chair aux riches citadins. Si jamais Féfé lui
révélait cette chose, peut-être que tout serait fini
entre nous. Que voulait-il, le bougre ? Me grimper
sur le ventre ? Eh bien, il n'avait qu'à me le demander, il obtiendrait ce qu'il désirait. Comme s'il
avait deviné ce qui me traversait l'esprit, Féfé me
dit :

« Ne pense pas que je cherche à te draguer, c'est
pas ça !

— Que veux-tu alors ?

— Causons sérieusement, ma petite fille. J'ai un
bon copain qui est bijoutier sur La Levée, il t'a vue
passer l'autre jour avec Philomène et depuis ce
jour-là, le bougre est fou de toi. Tous les matins, il
me demande de tes nouvelles, il me supplie de lui
faire faire ta connaissance, des trucs de ce genre. Je
le connais bien, c'est un gars marié qui se respecte.
Il ne va pas te procurer des emmerdements avec
Homère... »

Aussitôt dit, un homme émergea de la chambre

de Féfé. Un grand type haut et maigre comme l'ombre d'une ficelle, qui portait des lunettes fumées. Sa peau noire brillait comme celle d'une caïmite sous le soleil. Il ôta un briquet de la poche de sa veste blanche et alluma une cigarette américaine en m'examinant avec flegme.

« Alcide Crestor, bijoutier sur La Levée... C'est le propriétaire de "La Créole charmeuse", tu dois connaître cette boutique-là..., me fit Féfé.

— *Bonjour, mademoiselle,* me dit le bijoutier en français en me faisant un large sourire.

— Bonjour..., répondis-je.

— Voici ce que je vous ai apporté. Une paire de dahlias [45] en or pur. »

Sa main demeura suspendue un siècle de temps et il fallut que ce soit Féfé qui s'empare des anneaux et me les attache aux oreilles presque de force. Le temps que je réagisse, le bijoutier avait déjà tourné le dos, embarqué dans sa Peugeot 203 qui se trouvait à l'en-haut du chemin et disparu dans l'après-midi.

« Tu te rends compte ! Tu montes sur tes grands chevaux pour rien ! m'engueula Féfé. Alcide est mon pote, on a vu de la misère ensemble du temps de l'amiral Robert [46]. Avec lui, tes affaires marcheront au poil, je te le dis. »

Puis il m'expliqua que je n'aurais à me rendre que deux fois par mois chez lui, Féfé, où m'attendrait le bijoutier. Deux misérables petites fois par mois. Au fur et à mesure qu'il parlait, le mauvais esprit s'insinuait dans ma tête, son venin empoison-

nait mes sentiments. C'est pourquoi lorsque je remontai au Morne Pichevin, chez Tatie, je mentis à
cette dernière. Cela pour la première fois de ma
vie !

« Féfé va bien ? me demanda-t-elle de sa voix
lasse.

— Il tient le coup. Trois camarades de pittes-à-
coqs [47] viennent manger avec lui ce soir, ce qui fait
qu'il avait besoin de quelqu'un pour lui faire la cuisine.

— Bien-bien... » murmura Tatie en se tordant
de douleur sur son lit.

CHAPITRE X

*A*U MOIS de décembre 1959, une grande révolte éclata à Fort-de-France. Adelise ne reconnaissait plus les habitants du Morne Pichevin. Homère lui-même semblait s'être métamorphosé. Ses compères et lui, Rigobert le premier, avaient cessé d'aller travailler à la mairie le matin et, dès les premiers feux du devant-jour, ils se rassemblaient avec les dockers près du port et discutaient à perte de vue. Puis, sur le coup de midi, ils se mettaient à descendre le boulevard de La Levée depuis le Pont Démosthène, brandissant des pierres, des barres à mine, des coutelas, des becs de mère-espadon et des bouteilles cassées. Dressées à la pointe des quarante-quatre marches, les femmes les observaient, frémissantes de crainte.

Elles apercevaient, à hauteur de l'immeuble de

la Sécurité sociale, une compagnie de gendarmes blancs qui pointaient des fusils en direction de la meute de nègres, et entendaient des détonations en série qui faisaient s'éparpiller les manifestants. Ceux-ci ripostaient avec des roches ou des bouteilles de pétrole enflammées. Cela produisit un énorme fracas et la journée s'en trouva baignée d'une sorte d'épaisse fumée. Puis, deux heures de temps après cet épisode guerrier, un calme extraordinaire s'étendit sur la ville. Plus personne n'y flânait, aucune voiture n'y circulait. On aurait dit que Fort-de-France s'était transformée en une noix de coco vide.

À la nuit close, la ville demeurait plongée dans le noir parce que les autorités avaient décidé le couvre-feu : aucun individu n'avait le droit de circuler dans les rues une fois six heures du soir arrivées. Seules les lueurs des bateaux dans la rade crevaient l'obscurité.

« Qu'est-ce qui se passe ? » demandait Adelise à son homme, chaque fois que ce dernier venait prendre un peu de repos dans la case.

« C'est pas des machins de bonne femme ! » répondait-il en se pelotonnant sur le traversin, sans même se déshabiller tellement il était épuisé.

« Alors comme ça, t'es dans la politique à présent, Homère ? Ça va te procurer des désagréments, mon ami. Laisse ça aux nègres qui ont du fric ou bien aux intellectuels ! »

L'homme restait de marbre. Il s'était embarqué depuis un siècle de temps dans un sommeil maréchalesque. Mais, vers les huit heures du soir, il était à nouveau sur pied, attendant que Rigobert le siffle pour qu'ils aillent s'occuper des flics au centre-ville. Cela faisait trois jours que la révolte s'était allumée et les femmes du Morne Pichevin n'étaient encore au fait de rien du tout. Adelise malmenait sans arrêt le vieux poste de radio d'Homère à la recherche de quelque explication malgré les parasites. Elle avait réussi à entendre sur Radio Martinique le communiqué suivant :

« *M. le Préfet de la Martinique demande à la population de Fort-de-France de conserver son calme en dépit des provocations et des incessants appels au meurtre et à l'incendie lancés depuis trois jours par une bande d'émeutiers professionnels manipulés par l'étranger. L'ordre sera incessamment rétabli et la population pourra vaquer normalement à ses occupations...* »

On l'avait tellement ressassé à la radio qu'Adelise était parvenue à le retenir par cœur. Elle était pâmée d'admiration devant le bel accent pointu du speaker. D'habitude, elle n'écoutait que les chansons et les avis d'obsèques afin de savoir si une de ses connaissances du Gros-Morne était décédée. Les autres nouvelles ne l'intéressaient guère car elle savait pertinemment que cela ne modifierait en rien son existence de négresse misérable. La déveine pèse sur l'écale du nègre depuis l'époque de la Guinée, comme le lui répétait sa mère, si bien que rien ne peut l'extirper de cette maudition. Le nègre a beau se mettre en quatre, son destin est de souffrir, souffrir et toujours souffrir.

Or, depuis qu'Adelise s'était mise en ménage avec Homère, Philomène n'était jamais venue la voir. Elles se rencontraient le matin à la boutique de Mme Cinna quand elles achetaient leur pain et parfois, l'une d'entre elles allait brocanter les derniers ragots avec les autres femmes près de la croix. Ce n'était pas que Philomène en avait après sa nièce mais elle avait l'indiscrétion en horreur et ne voulait pas se mêler du ménage de la jeune fille. Par conséquent, Adelise fut extrêmement surprise de voir sa tante débarquer chez elle ce soir-là. Elles s'embrassèrent comme des gens qui ne s'étaient pas rencontrés depuis une éternité. Adelise se doutait qu'il y avait un problème dans l'air.

« Tatie, quelles... quelles nouvelles ? hésita-t-elle.

— Toujours le même train-train, répondit la femme en détachant son mouchoir de tête pendant qu'elle s'asseyait.

— Y' a pas d'électricité en ville...

— Ah, ma fille ! Ils ont tué un jeune homme qui roulait à mobylette cet après-midi. La balle a fait exploser sa cervelle comme une vulgaire goyave, pauvre diable... » expliqua Philomène.

Les deux femmes cessèrent de causer sans raison apparente. Les lumières des bougies clignotaient, telles des lucioles sur la table. Adelise finit par demander à sa tante si elle ne voulait pas manger un petit quelque chose. Celle-ci répondit que non. Sa voix était brisée.

« Tu le connaissais ? demanda Adelise.

— Non-non… Il s'appelait Richot, un bon petit garçon. Il vivait chez sa mère à Ravine Bouillé. »

Soudain, un grand bruit éclata au-dehors. Les deux femmes s'y précipitèrent. Dans la rue, une cinquantaine de jeunes gens manifestaient, flambeaux à la main.

« Les amis, descendons faire la peau aux blancs-France ! Ils viennent de bousiller à l'instant deux de nos camarades à Sainte-Thérèse », gueula une sorte de gaillard aussi long que le Mississippi.

En un battement d'yeux, toute la population de Morne Pichevin, Morne Vannier et la Cour Fruit-à-Pain sortit de chez elle, femmes et enfants, jeunes et personnes d'âge mûr. Elle enfourna des pierres à la hâte dans des sacs de guano. Puis elle descendit par-derrière l'église de Sainte-Thérèse en chantant une vieille chanson d'habitation [48] qui n'avait aucun rapport avec la situation présente. Une chanson dont l'origine était inconnue, enfouie au plus profond de sa chair ou de sa mémoire et qui la transportait à-quoi-dire une vague.

« Oh ! Oh ! Monsieur Michel ne veut pas lâcher deux francs ! Oh ! Oh ! Monsieur Michel… »

Adelise et Philomène ne réalisèrent pas à quel moment elles furent embarquées dans le mouvement. Sur leur route, d'autres gens venaient le gonfler, le visage déformé par la hargne sous la claireté des flambeaux.

« Que ceux qui ont du pétrole en amènent ! » hurlait Malabar, un nègre qui était le meneur.

Puis, au niveau de la route de Sainte-Thérèse, ils se mirent à accumuler des sacs de pierres, des boîtes à ordures, de vieux fûts d'huile, des caisses de pommes de terre et de morue séchée, ne laissant qu'un étroit passage pour les voitures. Chacune d'elles était arrêtée par Malabar qui se baissait pour examiner le visage du conducteur. S'il s'agissait d'un nègre, il lui disait :

« Dépêche-toi de rentrer chez toi ! Cette nuit sera très dure ! »

Mais lorsqu'il s'agissait d'un blanc-France, des nuées de pierres s'abattaient sur les vitres de la voiture, qui volaient en éclats, et sur les passagers. Le chauffeur appuyait sur l'accélérateur pour chercher à se faufiler quand même à travers le barrage. Sa femme et ses enfants pleuraient et hurlaient, ruisselants de sang. À un moment, une belle limousine américaine se présenta. Le type qui s'y trouvait en sortit d'un air tranquille et s'avança vers les manifestants en leur lançant en créole :

« Laissez-moi passer, bon sang ! On est entre nous, quoi ! »

Le type était un béké créole. Un nègre jaillit du groupe et dit :

« Patron, c'est moi Edvard. Ne crains rien, on t'ouvre la voie...

— Merci... Edvard, écoute, viens me voir quand tu auras repris le boulot. J'ai quelque chose pour toi depuis un bon bout de temps...

— T'en fais pas, patron, répondit le nègre. Lundi, au lever du soleil, Edvard sera à ton bureau ! »

Ensuite, plusieurs autres bougres et lui-même ôtèrent quelques caisses et des sacs de pierres pour permettre à la limousine de circuler. Quand le béké passa près de Malabar, il lança :

« Bon courage, les amis ! »

Les manifestants applaudirent et refermèrent le barrage aussitôt en chantant toujours :

« Oh ! Oh ! Monsieur Michel ne veut pas bailler deux francs ! »

Un peu plus haut de la route de Sainte-Thérèse, près du cinéma de Kerlys, un incendie éraflait le ciel, brûlant des maisons, et des coups de fusil éclataient sans discontinuer, à en crever le tympan. Un type arriva, couvert de sang, criant :

« Camarades, les C.R.S. nous tirent dessus ! Tirez-vous ! Y' a plus d'une dizaine de nègres allongés par terre... »

Du coup les femmes se mirent à gémir, suppliant le Bondieu de mettre de l'ordre dans ce foutoir. Adelise, qui était en proie à des frissonnades jusqu'à la moelle des os depuis le moment où elle avait vu les pierres briser les vitres des voitures des Européens, fit à sa tante :

« Rentrons ! Ce soir, la mort est capable de nous barrer la route comme un rien...

— Eh ben qu'elle le fasse ! Merde pour la mort ! » lâcha Philomène, un flambeau à la main.

Malabar, juché sur un fût d'huile, se mit à faire un discours, la sueur illuminant sa belle peau noire de nègre-Congo :

« Mes frères, aujourd'hui les blancs-France

tuent les nègres comme des merles dans ce pays. Ils croient nous faire peur parce qu'ils possèdent des fusils. Ils croient que nous sommes une race de capons mais nous ne sommes pas des manicous. Nous ne nous cacherons pas ! Nous ne nous cacherons devant quiconque, j'ai dit ! Nous allons leur montrer ce que vaut notre race nègre, nous les jetterons à la mer. Nous brûlerons la ville de Fort-de-France si cela s'avère nécessaire. Que ceux qui veulent me suivre le fassent ! Que ceux qui veulent capituler capitulent ! Camarades, allons-y !…

— Bravo ! Bravo ! » crièrent les manifestants d'une seule voix.

Le son d'une conque de lambi [(49)] gifla la nuit.

« Malabar, t'es un vaillant nègre ! s'écria Philomène. Avance, nous te suivons, mon cher !

— Bravo ! Bravo ! » reprirent les gens en ôtant des pierres de leurs sacs pendant que d'autres exhibaient des coutelas, des becs de mère-espadon et des barres à mine de dessous leurs vêtements.

La révolte infligeait de sévères ruades à la nuit. Adelise sentit Philomène la saisir par le corsage et l'entraîner dans le convoi des nègres déchaînés. C'est ainsi que, petit à petit, sa tête s'échauffa à son tour et qu'elle se vit lancer des pierres sur les gendarmes. Les bouteilles de pétrole enflammées que voltigeaient les nègres provoquaient de subites trouées de lumière dans l'obscurité et, en une fraction de seconde, les manifestants apercevaient deux rangées de gendarmes, la tête protégée par des casques, fusils et mitraillettes en joue, en train de tirer comme des dératés. Adelise voyait des nègres tomber à ses côtés comme des mouches qui se seraient trop approchées du verre d'une lampe. En dépit de cela, personne ne cessait le combat. Au contraire, on aurait dit que la population tout entière, celle de Sainte-Thérèse, de Volga-Plage, de Dillon, d'Eaux-Découpées et du Morne Pichevin, s'abattait sur les gendarmes. Adelise chercha Homère du regard mais le bougre ne se trouvait nulle part. Sans doute se trouvait-il déjà aux avant-postes, dans la gueule même des fusils, flirtant avec la mort. Un camion de pompiers passa en klaxonnant à tue-tête, un phare bleu girouettant sur son toit. Son éclairage permit à Adelise de distinguer de dos Rigobert et d'autres hommes du Morne Pichevin, mais Homère n'était pas à leurs côtés. Où se trouvait-il ? C'est à savoir s'il n'était pas déjà étalé sur l'asphalte, une balle dans le ventre ? Adelise fut envahie par un sentiment de chagrin, elle en eut l'esprit chamboulé mais, au lieu que des larmes lui jaillissent des yeux, une bave rageuse se mit à écumer au coin de ses lèvres. Si bien qu'elle ne prit pas conscience du moment où elle entreprit, elle aussi, de lancer des bouteilles de pétrole enflammées sur les C.R.S., au beau mitan du grouillis de manifestants qui avançaient et reculaient selon la tournure que prenaient les événements. Malabar se précipitait sur eux, égratignant leur bravoure d'une voix tonitruante :

« Camarades, battez-vous ! Battez-vous ! Les

blancs ont peur de nous. Ils vont battre en retraite, les salauds ! »

Mais vers une heure du matin, les gendarmes les prirent dans une nasse : une partie d'entre eux se rassembla près du port et attaqua les nègres de revers. Tant devant, c'est-à-dire à hauteur du cinéma de Kerlys, que derrière, c'est-à-dire à celle du port, les fusils et les grenades parlaient sans pitié. Alors la seule échappatoire consistait à s'égayer dans les ruelles de Renéville et du Morne Pichevin. Philomène dit à Adelise :

« Filons, ma petite ! On est dans la merde à ce qu'il semble…

— J'ai pas vu Homère.

— Bof ! Laisse-le se démerder tout seul ! C'est un mec ou pas ? »

Adelise n'avait jamais compris pourquoi il existait une telle inimitié entre sa tante et son amoureux. Ils ne pouvaient pas se pifrer bien qu'ils n'aient jamais eu de problème entre eux. Philomène avait toujours quelque propos désobligeant à émettre à l'encontre d'Homère. Quant à ce dernier, on aurait juré que, pour lui, Philomène n'existait pas. Adelise ne se souvenait pas de l'avoir jamais entendu prononcer le nom de sa tante. Homère ne la voyait décidément pas, comme si elle était aussi invisible qu'un succube.

À leur arrivée à la Cour des Trente-Deux Couteaux, elles remarquèrent que plusieurs familles organisaient déjà des veillées pour leurs parents qui avaient trouvé la mort ce soir-là. Les cris rituels annonciateurs des veillées mortuaires s'élevaient presque de tous côtés et les vieux étaient réunis autour des cases, buvant du tafia et jouant bruyamment aux dominos sur des boîtes métalliques vides. Mais personne ne riait, personne ne lançait des plaisanteries comme c'est la coutume dans les veillées mortuaires. Leur parole était rare et ils mesuraient même leurs gestes, comme s'ils prêtaient l'oreille afin d'entendre quelque chose qui provenait du lointain. Seul le vacarme intermittent des grenouilles transperçait le silence de la nuit.

Philomène demeura un moment chez Mme Cinna, l'épicière, dont le plus jeune fils avait perdu la vie. Le garçon était exposé sur la table du salon, tel un pantin de carnaval déchiqueté. Les mitraillettes avaient dû l'atteindre à la tête, au ventre et aux cuisses dans le même temps. Il avait un œil à moitié ouvert, complètement crevé et on n'en distinguait plus que le blanc. Une envie de vomir faillit étrangler Adelise mais, par bonheur, la froidure du dehors la figea dans son estomac. Aussitôt elle se prit à songer à Homère, son amoureux, et elle se sentit devenir folle. Elle sentit une brûlure au crâne comme si on y avait plaqué un fer chaud. Où se trouvait son homme ? Il fallait qu'elle aille attendre le retour de Rigobert chez lui afin de lui poser la question. Lui seul saurait. Lui dont Homère était l'ami intime, le frère presque. Comme si Philomène avait deviné le désespoir de sa nièce, elle lui pressa les doigts et lui dit :

« Ne pleure pas, ma chérie ! La femme qui tombe est une châtaigne. » [50]

Une foule de nègres grimpaient les quarante-quatre marches, portant le cadavre de quelqu'un sur leurs épaules à l'aide d'une feuille de tôle et chantonnant :

« Nous ne baisserons pas les bras ! Jamais nous ne baisserons les bras ! »

À la vue de Rigobert parmi les porteurs, Adelise fonça sur eux en hurlant à fendre l'âme, s'arrachant les cheveux, cherchant à toucher le corps bien que sa taille ne lui permît pas d'atteindre la feuille de tôle. Son hurlement déchirait la nuit en mille morceaux :

« HOMÈRE ! HOMÈRE, MON HOMME !... mon mari, la douceur de mon âme ! Ouaille ! Maman, où tu es aujourd'hui ? Homère ! Ouaille !

— Faites-la taire », demanda Rigobert à Philomène en repoussant Adelise afin de continuer sa route.

« Adelise est une adulte, répondit Philomène d'un ton froid.

— Ce corps n'est pas celui d'Homère mais de Malabar. Nous allons cacher son cadavre car les blancs le cherchent comme des chiens enragés. Ils veulent l'exhiber pour montrer qu'ils sont plus vaillants que nous. »

Philomène perdit son sang-froid lorsqu'elle apprit que c'était le leader de l'insurrection qui se trouvait allongé sur la feuille de tôle, ce nègre plein d'audace qui leur baillait du cœur l'instant d'avant au mitan des coups de feu. Elle ne pouvait pas le croire.

« Emmenez-le chez moi ! lâcha-t-elle.

— Ça va pas la tête ? fit l'un des porteurs. Tu ne sais pas que dans peu de temps des hordes de gendarmes vont se mettre à fouiller partout par ici. Non ! On va le cacher dans une case abandonnée près de la croix... Qu'en dites-vous, camarades ?

— T'as raison ! » répondirent-ils.

Adelise avait un peu honte de s'être livrée à des simagrées. Elle ne savait plus quoi faire maintenant. Philomène suivit les porteurs sans plus s'occuper d'elle, le visage empreint d'une préoccupation douloureuse. Adelise ignora pourquoi elle eut soudain la vision d'elle, enfant, pendant la fête patronale du Gros-Morne, et de sa mère qui l'emmenait faire des tours de manège. Elle s'asseyait sur un cheval rouge et jaune et empoignait fermement les oreilles de l'animal, quoique avec gaucherie. Et, d'un seul coup, éclatait la musique des maracas, des sillacs [51] et des petit-bois qui accompagnait le tournoiement du manège pendant que le visage de sa mère et celui des autres gens se mettaient à tourner aussi devant elle. À mesure que le cheval de bois s'emballait, à mesure le monde chavirait et déchavirait, imprimant une sorte de zigzaguement à son regard. Elle riait, riait, riait à en pisser sur elle. Mais elle voyait les yeux de sa mère posés sur elle, aussi rêveurs que si elle était partie dans quelque rêve éveillé et Adelise en frémissait. Tous les poils de son corps se dressaient, la sueur lui humectait la colonne vertébrale. Elle désirait que le cheval de bois cesse de tournoyer mais il ne faisait que prendre davantage d'élan. Elle avait envie de crier mais ne le pouvait pas. Elle était sur le point de s'évanouir. Quand le tour de manège se termina, elle se lâchait dans les bras de sa mère en pleurant à chaudes larmes.

Pendant qu'Adelise se demandait la signification exacte de ce souvenir, elle sentit une main s'appuyer sur son épaule. Elle se retourna et découvrit Homère. Elle opéra de la même façon qu'au moment où elle sortait du manège de chevaux de bois : elle se jeta contre la poitrine de son homme. Homère commença à caresser ses cheveux de câpresse et lui demanda :

« Où étais-tu ? Je t'ai cherchée partout…

— Et toi, où t'étais ?

— J'ai eu un mal de tête alors je suis allé me reposer pour voir si j'obtenais un petit soulagement, mais rien à faire ! » répondit Homère.

— Je vois… je vois…, murmura Adelise tandis qu'une espèce de gêne lui comprimait la poitrine.

— Allons à la veillée du fils de Mme Cinna… » fit l'homme sans rien remarquer…

CHAPITRE XI

TANT HOMÈRE qu'Adelise ne réalisèrent pas à quel moment les habitants du Morne Pichevin se retournèrent à fond contre eux. Cela ne se fit pas du jour au lendemain mais si Homère avait été un type plus vigilant, il se serait rendu compte que Richard ne l'invitait plus du tout à boire un décollage, tôt le matin, à la boutique de Mme Cinna. Même Rigobert, lui qui avait toujours quelque petit boulot municipal à proposer à Homère, ne s'approchait plus de leur case. Des sous-entendus couraient depuis longtemps sur le compte d'Homère et d'Adelise. Les ragoteuses démolissaient la jeune femme parce qu'à les entendre, elle mettait des robes trop somptueuses et de trop beaux bijoux.

« Ils ont sûrement découvert quelque arbre-à-argent », disait Mme Richard.

Les deux amants étaient trop embarqués dans la nouvelleté de leur amour pour laisser leur environnement les troubler. Quand la jeune femme quittait son travail plus tôt "Aux Marguerites des marins", elle se dépêchait de monter chez elle, se lavait derrière la maison avec un seau d'eau, puis elle s'habillait de vêtements propres, se parfumait et se mettait des anneaux créoles. Elle était prête à recevoir son homme. Parfois, quand le désir de le voir se faisait trop puissant, elle se dirigeait à l'en-haut des quarante-quatre marches et observait le Pont Démosthène ainsi que le boulevard de La Levée pour tenter d'apercevoir la démarche lourdaude d'Homère. Ça la faisait beaucoup rigoler car, bien que son homme ne vécût qu'en ville à présent, il ne parvenait pas à se défaire de ses manières de campagnard. On aurait dit que ses souliers accoraient son ballant et qu'il devait se battre avec eux pour pouvoir avancer.

Les gens du Morne Pichevin commençaient à grommeler sur le passage d'Adelise et d'Homère :

« Voici les terres rapportées ! »

Terres rapportées ! Telle était l'injure qui fendait le cœur d'Adelise ! Que voulaient-ils ? Comme si tous ceux qui vivaient au Morne Pichevin n'étaient pas eux aussi des terres rapportées ! Richard ne venait-il pas du Saint-Esprit ? Rigobert lui-même n'était-il pas originaire de Rivière-Salée bien qu'il soit arrivé enfant dans le quartier ? Mme Cinna n'était-elle pas descendue du Marigot ? Donc qu'est-ce qui leur passait par la tête ? Adelise se rappelait parfaitement les événements qui s'étaient déroulés au cours des dernières élections. Rigobert et Homère, qui bossaient à la mairie de Fort-de-France, se trouvaient pratiquement obligés d'aller coller des affiches le soir pour le maire en place ou d'assister à ses conférences au cas où des nervis de la droite auraient tenté de les perturber. Rigobert avait expliqué à Homère :

« Nous, on est des prolos, la politique c'est un truc de rupins. C'est eux qui y trouvent leur compte. Alors, mon ami, ne nous défonçons pas pour qui que ce soit. Faisons ce qu'on nous demande mais pas plus... »

Il avait l'habitude depuis longtemps de participer aux campagnes électorales en faveur du maire et cela ne l'embêtait pas trop à bien regarder mais Homère, dont c'était la première à laquelle il se mêlait, était quelque peu gêné. Il fallait que Rigobert le tirât presque par la manche pour faire le porte-à-porte afin d'avertir les gens que le maire ou un de ses amis feraient un discours en tel endroit. C'était l'occasion rêvée pour Rigobert de s'envoyer moult verres de rhum et, final de compte, pour lui, les élections et le carnaval relevaient du même domaine. Le secteur qu'Homère et lui devaient couvrir englobait le Morne Pichevin, le Morne Vannier, Ravine Bouillé, Renéville et une portion de Sainte-Thérèse. Pour qu'ils soient en mesure d'entreprendre la campagne convenablement, la mairie les libérait plus tôt, eux et d'autres personnes responsables de secteurs différents, plus tôt, c'est-à-dire vers les deux heures de l'après-midi. Les jours où il n'y avait qu'une seule conférence, tous les travailleurs municipaux devaient se trouver à l'endroit où elle avait lieu.

« Prépare-toi pour ce soir, on sera au Pont de Chaînes, l'avertissait Rigobert. S'ils ne te voient pas là-bas et que demain tu es amené à leur demander un job, ils vont t'envoyer valser. Faut pas te chercher des emmerdes, mon pote.

— Adelise peut nous accompagner ?

— Qu'est-ce que t'as à traîner des gonzesses après toi ? faisait Rigobert. Tu peux pas faire deux pas sans avoir une rimbambelle au derrière, tonnerre du sort ! Eh ben, emmène-là ! Au contraire, plus tu fais venir des gens, plus les mecs de la haute sont contents. Z'êtes déjà inscrits sur les listes électorales au fait ?

— Pas encore…, bredouilla Homère.

— Pas encore ! Pas encore ! Mais t'es cinglé ! Tu oublies que tu bosses chez le maire. Si tu ne lui mets pas un bulletin et qu'il n'est pas élu, t'es foutu, l'ami. La droite ne plaisante pas avec avec les nègres ! »

Rigobert disait tout cela devant Adelise parce que pour lui les femmes étaient des moins-que-rien. Malgré cela, Adelise faisait des pieds et des mains pour qu'Homère l'emmène écouter les conférences. Elle adorait écouter le beau français du maire. Cela lui faisait plaisir de voir un nègre bon teint manier la langue française avec tant d'habileté. Ah, les blancs-France n'avaient qu'à bien se tenir face à lui ! Et puis elle appréciait aussi l'ambiance des soirées électorales : la lumière glauque de l'éclairage public, la musique tonitruante des haut-parleurs qui étaient attachés aux branches des arbres, la foule des gens qui grignotaient des cacahuètes, buvaient de la bière, blaguaient pendant que, sur l'estrade, les politiciens et leurs aides rangeaient tables et chaises pour que les discours puissent commencer. Le lent balancement des drapeaux bleu-blanc-rouge lui touchait le cœur également. Au moment où les propos se mettaient à fuser, Adelise s'avançait seule devant l'estrade, juste au pied du discoureur, pour ne pas perdre une miette de ce que le bougre racontait. Homère, Rigobert et les autres restaient en arrière à causer, sans écouter que dalle. D'ailleurs, seuls les deux ou trois rangs de spectateurs placés devant l'estrade faisaient preuve d'un semblant de sérieux. Les autres continuaient à s'occuper de leurs trucs à eux. Et puis, lorsque ceux qui étaient devant se mettaient à applaudir, la foule entière les imitait, bien qu'elle n'eût rien entendu des propos du discoureur.

Toutefois, quand le maire arrivait à bord de sa D.S. noire, un respect subit s'emparait du peuple. Les plaisanteries s'arrêtaient tout net, les propos oiseux s'achevaient et les plus âgés demandaient aux plus jeunes de faire bonne contenance. Dès que la porte de la voiture s'ouvrait, quelques femmes hurlaient :

« Vive papa Césaire ! Vive Césaire, notre petit nègre à nous ! Vive le maire ! »

Le visage du Leader Fondamental demeurait de

marbre derrière ses lunettes d'intellectuel, seul un petit sourire froid lui courait sur les lèvres. Bien qu'il fît une chaleur d'enfer, il arborait un costume-cravate et quand il se passait la main dans les cheveux, sa montre en or lançait des reflets sous la lumière des poteaux électriques. Adelise ressentait une sorte de sécheresse dans la gorge, sa chair se mettait à frémir intensément et elle n'entendait plus rien. Une fourmi-manioc aurait pu la mordre qu'elle n'aurait pas remué d'un poil. Autour d'elle, les gens, en particulier les femmes, étaient plongés dans la même hébétude. Et puis, lorsque la voix de Césaire, sa voix chaude et caressante, se mettait à parler français, Adelise se laissait voguer sur des vagues de doucine :

« *Mes chers compatriotes, mon peuple, nous voici à nouveau rassemblés ce soir afin de préparer une nouvelle bataille, une bataille décisive, pour l'avenir de notre pays... Que voyons-nous autour de nous ? Des usines en ruine, des ateliers qui végètent, des champs désertés, un pays qui va à vau-l'eau !... et qu'il me soit permis, ô mon peuple, de dénoncer avec toute l'énergie que vous m'insufflez, les thuriféraires stipendiés du gouvernement !...*

— Bravo-o-o !... s'écriait la foule très excitée.

— *Oui, j'ai dit les thuriféraires stipendiés du gouvernement, les séides invertébrés qui hantent les salons des békés...* »

Une matrone s'évanouit à côté d'Adelise tellement le coup de français était fort. Son frère ou son mari vint lui porter secours en l'éventant à l'aide du journal *Le Progressiste.* Les gens transpiraient à grosses gouttes et étaient en proie à des tressautements tels des diables en boîte. Plusieurs lançaient :

« Mince alors ! Ça c'est du beau français, les amis ! Ah, on reçoit du beau français ce soir !... Vive Césaire ! Vive Césaire !... Bravo-o-o !...

— *Du fond de votre cœur, vous le peuple nègre, le peuple travailleur de Trénelle, de Volga-Plage, de Texaco et j'en passe, s'élève un immense cri de dignité. D'une seule voix, vous réclamez la possibilité de gérer et votre quotidien et votre devenir. Et ce cri, cette clameur qui ébranle les assises déjà vermoulues de cette vieille société coloniale martiniquaise, s'appelle AUTONOMIE ; AU-TO-NO-MIE !*

— Vive l'autonomie ! Vive papa Césaire ! »

Un politicien tendit un mouchoir à Césaire qui s'essuya rapidement le front, en profitant pour faire une légère pause dans son discours, les yeux rivés droit devant lui comme s'il scrutait quelque chose qui se trouvait dans le dos de la foule. Un silence s'établit brutalement. Adelise était figée sur elle-même. Ce mot d'"autonomie" lui cognait sans cesse l'esprit et elle se rappelait à quel point sa tante Philomène détestait l'entendre. Chaque fois qu'elle revenait de la messe le dimanche, elle disait à Philomène que le prêtre leur avait demandé de ne pas commettre ce péché mortel qui courait comme la variole ces temps-ci, à savoir demander l'autonomie pour l'île de la Martinique. Bien que Philomène ignorât la signification exacte de ce mot, quand elle le prononçait, une appréhension s'emparait d'Adelise et la jeune fille s'imaginait une sorte de démantibulement qui la mettait dans tous ses états.

Mais aussitôt que Césaire avait recommencé son discours, tant Adelise que les autres gens n'entendaient plus rien d'autre. La belleté de son français les avait déjà par trop étourdis et au lieu de se mettre à réfléchir aux démonstrations que leur faisait le leader, ils se laissaient douciner par sa parole comme s'ils avaient été assis sur une balançoire. Et puis la réunion électorale s'achevait vers les minuit et Adelise s'en allait rejoindre Homère ainsi que ses compères qui depuis longtemps avaient rallié quelque épicerie-bar et y boissonnaient sans répit. Ils n'avaient même pas écouté la moitié du discours de Césaire et s'il y avait bien quelque chose dont Homère détestait discuter avec Adelise, c'était de politique. Adelise ne l'avait jamais entendu ni encenser ni critiquer Césaire ou crier Vive de Gaulle. On aurait dit qu'il s'était mis un barrage dans l'esprit pour qu'aucune billevesée politique ne vienne déranger sa petite existence. Homère était un bougre de cette trempe-là, tel était son caractère. C'était la même chose concernant Philomène : on aurait dit qu'il ne la voyait absolument pas, comme si elle était transparente.

Ainsi donc, on obligeait Homère à faire de la politique et Adelise ne voyait pas comment les alliés du maire auraient pu remettre à son amoureux de l'argent qu'il devait partager entre les gens du Morne Pichevin. S'il y avait un gars capable de faire ce genre de boulot, c'était plutôt Rigobert ou bien Richard parce que c'étaient eux qui tenaient en main la campagne électorale. Dans quel piège voulait-on le cerner ? Que leur avait-il fait ?

La situation d'Adelise était devenue difficile aux "Marguerites des marins". Les boissonniers refusaient d'être servis par elle et c'est la propriétaire de l'épicerie-bar qui était forcée de faire le travail elle-même. Ils entraient, déposaient avec fracas des pièces de monnaie sur les tables et lançaient :

« Un rhum sec, la mère ! Je voudrais que tu me serves de ta main car je sais qu'il s'agit d'une main propre. »

Ou alors ils plaisantaient :

« La mère, y' a un gars par ici qui nous doit une tonne de fric et il nous a fait savoir qu'aujourd'hui c'est sa tournée ! »

Adelise était accablée de honte mais se sentait incapable de réagir. Parfois, elle se demandait si cela valait la peine de laisser sa tante pour aller vivre avec Homère comme il l'en suppliait depuis quelque temps. Mais d'autres fois, elle redressait la tête tel un coq-calabraille prêt à becqueter et elle se répétait en son for intérieur : « Mon homme, c'est Homère ! Que vous le vouliez ou non, c'est lui que j'ai choisi ! » Homère, pour sa part, avait envie de changer de quartier et de construire une case ailleurs. Souvent, il évoquait devant Adelise le quartier de Trénelle où il y avait encore pas mal de terrain libre, mais la jeune femme ne répondait pas parce que les gens de cet endroit étaient réputés être des sauvages. Elle savait que si elle osait déménager pour aller y vivre, sa tante Philomène ne lui adresserait plus la parole. Et puis, elle-même, Adelise, elle s'était peu à peu accoutumée aux mœurs des gens du Morne Pichevin, même si on disait qu'ils avaient le couteau facile. Après tout, chaque quartier avait sa réputation ! Les gens de Volga-Plage avaient celle d'avoir l'esprit mendiant, ceux du Morne Pichevin d'être des voleurs, ceux des Terres-Sainvilles d'être des voyous, ceux d'Au Béraud d'être des Coulis-mangeurs-de-chien.

Mais un jour, Homère en eut ras le bol et il arrêta Richard près de la boutique de Mme Cinna. C'était un samedi soir et pas mal de gens y étaient rassemblés pour jouer aux dames. Un nègre fit :

« Hou là ! Y' a de la bagarre dans l'air !

— Vous faites erreur, messieurs ! dit Homère. Je veux que nous parlions comme des adultes maintenant. S'il y a quelqu'un qui a quelque chose à me reprocher, qu'il me le dise. Je possède deux oreilles et elles me servent à entendre. Quant à moi, au plus profond de moi, je suis au clair avec ma conscience. »

Ils regardèrent tous Homère comme s'ils ne saisissaient pas ce qu'il voulait dire. Jojo, le garçon de Mme Cinna, se mit à arranger les dames sur la planche de jeu, d'une façon mi-désinvolte mi-inquiète. Richard n'avait d' yeux que pour la pointe de ses orteils dont le plus gros jouait dans la poussière. Rigobert fit mine de rire mais seul un sourire finaud apparut sur ses lèvres. Puis, il s'assit devant la planche de jeu de dames où se trouvait déjà Jojo et murmura :

« Je prends les noirs, compère...

— Bravo ! » répondit Jojo de la même voix chevrotante.

L'idée d'envoyer la planche valdinguer d'un grand coup de pied traversa l'esprit d'Homère. Il savait que personne n'oserait s'attaquer à lui, puisque, de notoriété publique, les gens du Lorrain étaient habitués à se battre au ladja [52] dès leur plus tendre enfance. Mais il se maîtrisa pour ne point causer d'ennuis à Adelise, serrant si fort les poings qu'il en eut mal aux ongles.

« Vas-y, joue ! » lâcha Rigobert en s'éventant avec son chapeau-bacoua.

Jojo s'empara d'une dame et la souleva mais elle retomba en bousculant plusieurs autres.

« Si t'as pas suffisamment de couilles au cul, cède ta place à quelqu'un d'autre ! » lui reprocha vivement Rigobert.

Puis tous s'approchèrent de la planche de jeu et se mirent à suivre la partie avec une attention qui n'était pas naturelle. Un silence curieux entourait les joueurs et il fallut que Mme Cinna, du fond de sa boutique, demande ce qui se passait, pour que les conversations reprennent et les rigoladeries se mettent à fuser. Ils avaient bel et bien oublié Homère ou alors ils craignaient d'avoir une engueulade avec lui. Si bien que celui-ci leur tourna le dos et déclara, au bord des larmes :

« Bon, eh ben, j' me tire... »

CHAPITRE XII

QUAND HOMÈRE m'apprit qu'il avait trouvé une chambre et me demanda à quelle date nous pourrions nous mettre en ménage, je lui répondis « après le carnaval. » Je voulais vivre à fond ce carnaval-là, me défoncer afin d'oublier qu'avant même que nous ayons lié nos existences, je l'encornaillais déjà. Féfé fut tellement content de ma décision, il eut si peur que je change d'idée qu'il me fit savoir qu'il m'avait préparé un beau masque : une Marianne-peau-de-figue [53]. Pour un gars qui n'aimait pas bosser, cela représentait un effort considérable et, parfois, pendant la nuit, il m'arrivait de me demander ce qu'il pouvait bien gagner à mes relations avec le bijoutier. Peut-être un sacré paquet d'argent, peut-être quelqu'autre nana.

« Qu'est-ce qui arrive à Féfé ? demandait Tatie à

tous les compères de celui-ci. Le gars fignole tellement le masque de ma nièce qu'on aurait dit qu'il
travaille pour la fille de Mme Rothschild !

— T'es certaine qu'Adelise ne marche pas sur
tes plates-bandes ? avait insinué l'un d'eux.

— Va t' faire voir ! Adelise est une négresse au
cœur droit, elle n'a pas le feu à la croupière. Elle ne
m'aurait pas fait ça, pas du tout… »

Au matin du dimanche gras, Féfé débarqua chez
nous aux aurores, le masque à la main : un assemblage de feuilles de bananier sèches qui étaient ha-
bilement tressées. Il fallait que je l'enserre autour de
ma tête pour qu'il puisse me couvrir tout le reste du
corps. Ainsi je pourrais tournevirer dans les défilés
et danser comme une toupie. Tatie, encore en chemise de nuit comme moi, me le passa dessus, me
saisit par la main et se mit à carnavaler dans les
ruelles boueuses du Morne Pichevin :

« Papillon vole, nous volons tous avec toi !
Pa-pil-lon vo-le ! »[54]

Je n'avais jamais participé au carnaval de ma vie
car cela ne faisait pas partie de nos habitudes campagnardes. Quand je m'installai à Fort-de-France,
Tatie, qui était membre d'un groupe de carnavaliers
déguisés avec des masques-malpropres[55], s'était
mise en quatre pour que je la rejoigne, mais je préférais demeurer sur le trottoir à regarder les gens
faire leur cinéma. Tant les nègres que les mulâtres,
les chabins, les Syriens, les Chinois et même parfois
les blancs-pays, tout ce beau monde se secouait de
manière frénétique au son de la musique des or-

chestres de chevaux de bois. Les plus gandins d'entre eux inventaient des pas au son d'une clarinette ou d'un saxo.

« Bondieu-Seigneur-la Vierge Marie, Philomène est en train de perdre la raison ! » s'écria un voisin et aussitôt une ribambelle de gens jaillirent de leurs cahutes en tôle ondulée qui semblaient construites sens dessus dessous.

Le temps pour une poule de pondre un œuf, tous les chrétiens du Morne Pichevin couraient déjà à notre suite dans ce défilé carnavalesque. Ceux qui devaient se rendre au travail sur le port ou bien au Carénage firent l'impasse dessus. Ceux qui se sentaient mal en point oublièrent leurs souffrances. Des chants de carnaval fusaient dans la chaleur du matin :

« Embrasse l'épée ! Embrasse l'épée ! [56] On a défoncé le cul de Vava ! [57] »

Quant à moi, je sentis une sorte de douceur me saisir par la chevelure et la peau du crâne puis me caresser tout le corps plus savamment que n'importe quel doigt d'homme. Mon esprit s'échappa dans le lointain de Miquelon et mes jambes devinrent légères, légères, légères. Je sautais, courais, montais et descendais, cavalcadais comme si je ne pesais pas plus lourd qu'un phasme. Aucun maître d'école n'avait besoin de m'enseigner les pas de danse : ils ne faisaient que surgir sous le plat de mes pieds comme s'ils s'y trouvaient cachés depuis une éternité de temps dans une sorte d'assoupissement qui attendait que je le secoue. Les gens se pâmèrent presque devant la belleté de mes pas. Ils battaient des mains et chantaient :

« Hé, regardez la petite Adelise ! Regardez comment elle se remue !

— Y' a pas si longtemps qu'elle est sortie des jupes de sa mère et la voici qui mène le défilé de carnaval, oho ! »

Des fioles de tafia se mirent à circuler de bouche en bouche, tant chez les hommes que chez les femmes. Tatie était déjà grise depuis longtemps et soulevait sa robe de nuit à hauteur de son nombril. Les autres femmes se jetèrent dans le même courant et aussitôt la vagabondagerie se mit à régner. Les nègres du Morne Pichevin avaient oublié la misère qui les pressurait, ils la lançaient aux orties. Arrivé près de la croix, le défilé s'arrêta tout net comme s'il avait été freiné par le visage de Jésus-Christ. Seule, moi, je continuais à tournevirer dans mon déguisement de Marianne-peau-de-figue. À un moment, le silence des gens me figea sur place. Mon cœur chamadait à toute vitesse comme s'il était prêt à s'arracher. Homère se trouvait de l'autre côté de la croix, vêtu de ses vêtements de travail en kaki, prêt à aller bosser à la mairie. Il tenait une scie égoïne et un mètre à la main. Il m'observait comme de très loin, comme si je me trouvais de l'autre bord du monde. Alors je me mis à déchirer le masque, je le déchirai en mille morceaux, j'en pilai les débris du pied, je crachai dessus, puis je me précipitai chez ma tante, me jetai sur son lit et dormis jusqu'au soir.

Vers dix-neuf heures, Homère vint. Il cogna à la porte mais n'entra pas. Il s'écria :

« Adelise ! Ohé, Adelise, demain, si Dieu veut, tu viens habiter avec moi. Je viendrai te chercher de grand matin. »

Changer aussi brusquement d'existence n'est pas quelque chose d'aisé. Sentir l'odeur de quelqu'un près de vous toute la nuit non plus. Se lever au devant-jour, préparer une timbale d'eau de café pour son homme, réchauffer le repas de la veille pour emplir sa gamelle, repasser sa chemise, tous ces gestes-là, il me fallait les apprendre au fur et à mesure. Et puis une fois l'homme parti, attendre toute seule dans la minuscule case, tourner en rond, chercher quelque vêtement à repriser car sans cela, l'ennui s'emparerait de vous et, enfin, vers deux heures de l'après-midi, s'efforcer de faire un brin de causer avec la voisine. Il faut aussi avouer qu'Homère n'était pas un grand discoureur. Il ne savait parler que d'une chose : sa mère et la campagne du Lorrain où il voulait soi-disant revenir. Il ouvrait très fort son poste de radio et écoutait des stations anglaises ou espagnoles bien qu'il ne comprît goutte à ces langues. J'étais forcée de supporter ce vacarme jusqu'à ce qu'il ait faim et éteigne le poste. Il s'asseyait près de la table, attendant que je lui apporte le repas qu'il engloutissait quel que soit ce qui se trouvait dans son plat, sans jamais me dire si c'était délicieux ou sans goût. Ce qui fait que, parfois, lorsque je faisais une comparaison entre la vie que je menais chez Tatie et celle-ci, il me venait des regrets. Je n'étais pas faite pour rester dans une maison sans ouvrir la bouche. Cela ne convenait pas du tout à ma nature. Alors, au lieu de me disputer avec Homère, dès que j'avais terminé de nettoyer la maison et de préparer le repas, je descendais à la Cour Fruit-à-Pain, chez Féfé-la-prestance, où j'étais sûre de rencontrer ma tante.

Depuis que j'avais déchiqueté le masque de Marianne-peau-de-figue qu'il avait mis tant de temps à me fabriquer, Féfé me faisait la gueule. C'est à peine s'il me rendait le bonjour et il nous laissait sa maison, prétextant quelque affaire à régler quelque part. Tatie assumait l'entière responsabilité de cet état de fait :

« C'est moi qui ai fait une couillonnade, ne cessait-elle de répéter. J'ignore ce qui m'est passé par la tête quand j'ai commencé à courir ce défilé de carnaval et à t'inciter à boire du rhum !

— N'en parlons plus ! répondais-je.

— J' t'ai déjà dit qu'il faut que tu t' démerdes pour trouver un mari, ma fille, car tu risques de devenir aussi dingue que moi. Demande à ce monsieur Homère quand est-ce qu'il compte te conduire devant le prêtre. Plus tu attendras, plus tu prendras l'habitude de vivre en concubinage. Je t'assure ! J' connais les mecs, moi ! Seins bien dressés ne durent qu'un temps. [58]

— Qu'est-ce que le mariage changera pour nous ? » taquinais-je Tatie.

Elle ne répondait pas. Elle avait un tic consistant à se gratter les mollets quand elle ne trouvait plus rien à dire qui me faisait rire énormément. C'est seulement à ces instants-là qu'elle ressemblait un peu à ma mère. Mais, ce jour-là, elle fixa mes seins et déclara :

« Hou là-là-là ! Voilà que mamzelle Adelise est enceinte ! Nom de Dieu, y' aura un gamin de plus sur terre avant Noël. »

Elle vint m'embrasser sur les deux joues et se mit à faire du cinéma tellement elle était contente. Pour ma part, je demeurai interdite. Je n'avais pas la tête à ces histoires de marmaille, n'y étant pas habituée puisque ma mère n'en possédait qu'une seule, à savoir moi. Je pressai mes seins et pour de bon, je remarquai qu'ils avaient beaucoup grossi et que leurs pointes étaient devenues dures et larges. Je ne savais plus où me mettre. C'est comme si une créature étrangère avait pénétré à l'intérieur de mon corps, une chair que je ne connaissais pas encore. Je me mis debout sans pouvoir prononcer un seul mot. Tatie avait déjà rameuté tout le voisinage et les maquerelleuses de la Cour Fruit-à-Pain en discutaient déjà à perte de vue. Elles me baillaient des conseils, m'avertissaient d'éviter de manger telle chose, m'enjoignaient de boire tel type de thépays, de ne pas soulever de charges trop lourdes et ainsi de suite. Elles m'accablèrent tellement de paroles que je ne me souvins même pas que je me trouvais chez Féfé. Je leur dis que j'étais fatiguée et que j'avais besoin de me reposer un peu. Les maquerelleuses prirent la poudre d'escampette. Tatie se précipita dans la chambre de Féfé, arrangea son lit et me demanda de m'y allonger en m'assurant qu'elle me réveillerait au crépuscule. Sur ce fait, je m'enfonçai dans un profond sommeil dans lequel je me vis remonter le canal Levassor à bord d'un gommier [59] peint en rouge et vert. L'eau, qui était encombrée de parches de noix de coco, de boîtes vides ou de cadavres d'animaux, ne provoquait en moi aucun haut-le-cœur. Des gens s'étaient rassemblés sur les deux berges du canal pour observer mon embarcation. Ils riaient, gesticulaient et, lorsque j'arrivai presque en dessous du pont Gueydon, le visage de quelqu'un qui s'y trouvait me fit sursauter : celui de mon père ! Oui, monsieur mon père qui arborait une sorte de chapeau haut-de-forme et une chemise en sac de farine-France [60]. Près de lui, Mouchache, le chien blanc que je possédais au Gros-Morne, hurlait à la mort tant et si bien qu'il refroidit l'enthousiasme des spectateurs. Les dernières clairetés du soleil environnaient le demi-cercle du pont d'une couleur que je n'avais jamais vue bien que parfois elle se rapprochât du jaune. Mon père s'adressait à moi comme à quelque proche ami, comme si nous devions causer entre nous de nos petites affaires mais des larmes s'écoulaient du coin de ses yeux. Je me dis en moi-même :

« Pauvre diable ! »

Je m'efforçais de distinguer ses paroles mais on aurait dit qu'une musique qui jaillissait des entrailles du canal, les déformait. Le gommier se trouvait juste sous le pont Gueydon et à présent, il n'y avait plus âme qui vive autour de nous. Seuls mon père et moi demeurions dans cette obscurité qui s'abattait sur les toits de l'En-Ville. Je caressai mes seins ainsi que mon ventre pour lui faire saisir que j'étais enceinte mais dès que je fis ce geste, il me tourna le dos et se mit à scruter l'autre rive du canal. Je me mis à hurler :

« Papa ! Ohé, papa ! Regarde-moi ! Dis-moi quelque chose, s'il te plaît ! »

Je n'avais pas terminé ma supplication que le gommier avait fait demi-tour et s'était dirigé vers l'embouchure, à l'endroit où l'eau douce et l'eau salée se mélangent pour donner naissance à une sorte d'eau fade qui était le symbole de l'amertume selon ce que Fidélius, un nègre d'Haïti qui vivait au Morne Pichevin, nous avait expliqué. C'est à cet endroit qu'il puisait de l'eau pour préparer ses potions maléfiques. J'empoignai la proue du gommier pour tenter d'arrêter sa course, saisis les bords de l'embarcation, le parcourut de long en large mais en vain. Nous étions déjà arrivés à l'horizon sans que je m'en rende compte. La ligne d'horizon brisa la glissade du gommier et la secousse qui en résulta me réveilla brutalement. Tatie et Féfé se trouvaient à mon chevet, ravagés par l'inquiétude. Tatie tamponnait une serviette mouillée sur le devant de mon crâne de temps à autre et murmurait :

« Allons, Adelise, refais-toi, ma fille ! Allons… »

Je remontai à pied jusqu'au Morne Pichevin tel un automate. Tatie et Féfé me soutenaient chacun par une épaule. J'ignorais qu'ils avaient déjà fait avertir Homère, c'est pourquoi je crus que j'étais encore en train de rêver quand je vis qu'il y avait grande foison de gens en notre case. Des boissons et des paquets de biscuits, il y en avait à la pelle. Homère semblait être devenu un autre homme. Il hâblait, faisait des gestes démonstratifs, offrait du vermouth ou du champagne. Quand je pénétrai à l'intérieur, il s'écria :

« Voici le phénomène !

— Bravo-o-o ! » répondirent les gens en me baillant moult félicitations. Si bien que je m'extirpai aussitôt de mon engourdissement en dépit du fait qu'ils recommençaient à m'accabler de leurs baisers, leurs caresses, leurs compliments et autres marques d'amicalité. J'avais un bébé dans le ventre ! Je n'arrivais pas y croire ! Habituée que j'étais à cohabiter avec Tatie qui devait être bréhaigne tellement elle avait fait des avortements, je n'avais jamais réfléchi à l'importance de cette situation. Si ma mère avait été là ce soir, comme elle aurait été gaie, pensais-je ! Sûr et certain qu'elle m'aurait dit de retenir le père de toutes mes forces, de ne pas le laissser me filer entre les doigts comme le lui avait fait mon propre père. Ou bien elle m'aurait charriée en souhaitant que je ne mette pas au monde un « nid de serpents », c'est-à-dire une petite fille. Que devait-elle faire en ce moment ? Sans doute se lavait-elle les pieds avant de se mettre au lit.

« Hé, mamzelle Adelise, ton esprit est parti en vadrouille ou quoi ? me demanda Rigobert d'un ton rigolard.

— Pas du tout ! Elle cherche quel jour exact on

a bien pu concevoir ce bébé », fit Homère, déjà pratiquement ivre.

Les gens nageaient dans l'heureuseté. Des blagues se mirent à proliférer. Au bout d'un moment, il ne restait plus un seul espace de libre dans la petite case pour recevoir de nouveaux arrivants. On aurait dit que le Morne Pichevin dans son entier avait débarqué chez nous. Richard lança :

« Les amis, ça vous dirait qu'on fasse une veillée de vivants [61] ?

— Super ! lâcha aussitôt un bougre.

— Krik [62] ! dit Féfé.

— Krak ! répondit l'assistance.

— Devinette ?

— Bois sec [63] !

— Qu'est-ce que le Bondieu a mis au monde ?

— Toutes choses, fîmes-nous en guise de réponse.

— Eh ben… il y avait un roi. Ce roi possédait trois belles jeunes filles. Un jour, compère Cheval se rendit chez le roi pour demander l'une de ses filles en mariage. Ma foi, le roi accéda à la requête de Cheval. Alors compère Cheval commence à faire sa cour chez le roi afin de pouvoir épouser sa fille mais compère Lapin en est si jaloux que chaque fois que compère Cheval s'absente, Lapin dit du mal de lui au roi… E-é-é-é-Krik ?

— E-ê-ê-é-Krak ! répondîmes-nous à Féfé.

— Eh ben… un jour, il vient dire au roi : "Mais, monsieur le Roi, tu t'apprêtes à marier ta fille à compère Cheval alors que ce dernier est ma mon-

ture !" Le roi en est si fâché qu'il fait mander aussitôt Cheval et lui déclare : "Comment donc ? Tu es
venu chez moi me demander la main de ma fille et
voilà que Lapin m'apprend que tu es sa monture !
Va chercher Lapin pour qu'on lui pose la question
ou sinon je ne te marierai plus à ma fille." Cheval se
rend sur-le-champ chez Lapin pour lui demander
de l'accompagner chez le roi mais Lapin qui sait
fort bien qu'il a menti sur le compte de Cheval, ne
veut pas y aller car il sait que Cheval le tuera. Si
bien que lorsqu'il voit apparaître Cheval, il demande à sa femme de lui dire qu'il est malade. Puis
il va se coucher, prend un jaune d'œuf et l'enfourne
dans sa bouche. Quand compère Cheval arrive chez
Lapin, il demande à voir ce dernier. Yé
mistikrik [64] ?...

— Yé mistikrak ! répondîmes-nous au conteur.

— Eh ben... On lui répond que compère Lapin
est souffrant. Aussitôt, Lapin s'écrie : "Compère,
entre donc !" Cheval répond : "Je n'entre pas. C'est
toi que je cherche. Comment se fait-il que tu sois
allé chez le roi et que tu lui aies affirmé que je suis ta
monture ? Rendons-nous de ce pas auprès du roi
afin de rectifier cela." Compère Lapin rétorque aussitôt : "Ce n'est pas vrai, compère, je n'ai pas dit ça.
Je suis couché depuis plusieurs jours. Tiens, regarde ce que je rends !" Il écrase le jaune d'œuf
dans sa bouche et le recrache pour Cheval.
"Regarde ce que je vomis, si tu t'imagines que j'aurais pu raconter quoi que ce soit sur toi." Cheval ré-
plique tout de suite : "Mon cher, il faut qu'on y

aille ! Faut y aller ! Tant pis si je dois te porter !"
Compère Lapin répond : "Mais je vais tomber !"
Cheval ne veut rien savoir : Lapin doit y aller avec
lui. Lapin lui demande alors : "Compère, tu ne
veux pas que je te mette quelque chose sur le dos
afin que je puisse y poser les pieds ?" Cheval dit :
"Mon cher, mets ce que tu veux, l'essentiel est que
tu m'accompagnes chez le roi." Lapin lui attache
une selle sur le dos ainsi qu'une bride puis il se met
une paire d'éperons à l'insu de Cheval. Puis il lui
monte sur le dos. Cheval fait à Lapin : "Quand
nous serons tout près de l'arrivée, je te déposerai
par terre." Mais il y a un virage peu avant l'entrée
de la demeure du roi et quand Cheval y arrive,
Lapin lui flanque un coup d'éperons. Cheval perd
le contrôle de lui-même et pénètre directement
dans la cour du roi. Aussitôt Lapin saute sur le sol
et déclare : "Monsieur le Roi, tu vois bien que
Cheval est ma monture !" Puis il entre dans la demeure. Si bien que le roi chasse Cheval et c'est
Lapin qui prend sa place. Yé-é-é-é-é-Krik !...

— Yé-é-é-é-Krak ! répondîmes-nous à Féfé.

— Mais l'histoire n'est pas finie ! Compère
Cheval est si furieux qu'il se poste dans le chemin
afin de surveiller Lapin, cela dans l'intention de le
tuer en douce. Mais Lapin est tellement malin qu'il
emprunte un chemin de traverse et se retrouve devant Cheval. Par terre, on avait jeté une peau
d'agouti. Lapin s'en revêt prestement. Quand
Cheval arrive près de la peau, sa puanteur le fait re-
culer ! Il s'exclame : "Qu'est-ce qui sent mauvais

comme ça ?" Alors il entend une voix lui dire :
"C'est moi, compère Agouti. J'ai eu une petite dispute avec compère Lapin et il m'a lancé "Va-t-en !
Tu pueras désormais en chemin !" et c'est la raison
pour laquelle, j'ai cette mauvaise odeur." Puis, compère Agouti ajoute : "Si tu as eu une dispute avec
Lapin, dépêche-toi d'aller lui dire que tout est ar-
rangé car tu deviendras pareil à moi." Cheval lui rétorque : "Mon cher, si jamais tu l'aperçois avant
moi, dis-lui que le petit compte que j'ai à régler
avec lui est enterré." C'est de cette manière que
compère Lapin est parvenu à sauver sa peau et que
compère Cheval m'a fiché un sacré coup de pied
aux fesses qui m'a projeté jusqu'ici afin de vous raconter cette histoire. Yé mistikrik !

— Yé mistikrak ! » répondîmes-nous à nouveau
d'une seule voix. Pendant que Féfé nous racontait
cette histoire, les verres se remplissaient et se vi-
daient, les mâchoires s'en baillaient à cœur joie.
Nous ne nous rendîmes pas compte à quel moment
dix heures du soir arrivèrent et c'est grâce à l'église
de Sainte-Thérèse que quelques dockers surent
qu'ils devaient aller se reposer s'ils voulaient se
lever de très bonne heure le lendemain matin afin
de prendre leur travail sur le port. Pour la première
fois dans une bamboche, nous, les femmes, nous
nous en allâmes les dernières. Seul Féfé-la-prestance demeura avec nous tellement il était content
de n'avoir pas été rejeté par les gens du Morne
Pichevin. Homère et lui commencèrent même à
rouler des dés sur le rebord d'une table comme

deux gars qui se connaissaient depuis Mathusalem. Tatie était folle de joie :

« Vous voyez bien que Féfé n'est pas un type insignifiant ! Combien parmi vos hommes savent raconter des contes, hein ? Dites-le moi un peu ?

— Bof ! fit une maîtresse femme. Il ne connaît que des machins pour amuser la galerie, ce bougre-là. J'aurais bien aimé le voir avec une houe à la main. Ha-Ha-Ha !

— Vous êtes dévorées par la jalousie ! lança Tatie sans se froisser.

— Z'auriez été contentes d'avoir un gars qui vous cause le français d'aussi belle manière que mon Féfé ! »

À dater de ce jour-là, le comportement d'Homère changea du tout au tout. Il se mettait à siffler et avait toujours une parole de tendresse à me sussurer. L'après-midi, quand il rentrait du travail, il ramenait du boudin. Sans arrêt, il répétait :

« Dès que mon petit chéri sera né, je m'en irai le porter à ma vieille mère là-haut, les amis. Ah ! En voilà une personne qui ne se sentira plus ! Mon grand frère lui a déjà amené un premier petit-fils mais vous connaissez les gens du temps de l'antan, plus la lignée s'agrandit, plus ça leur fait plaisir. »

Mais un jour où Homère était absent, Féfé vint me voir pour me dire que le bijoutier comptait toujours sur ma promesse. Puis il me déposa deux anneaux créoles dans la main et me glissa :

« C'est un cadeau pour toi. Tu vois, le bougre pense à toi. »

Je ne répondis rien, si bien que trois jours plus tard, il revint à la charge :

« Maintenant que t'es enceinte, t'as rien à craindre, ma fille. Et puis, tu sais, t'auras besoin de fric pour acheter le trousseau de l'enfant. C'est pas le peu d'argent que reçoit Homère qui suffira. Demain, vers deux heures et demie, je viens te chercher. Un taxi nous attendra près de la Cour Fruit-à-Pain. »

Je réfléchis tout au long de la nuit. Que devais-je faire ? Parfois, l'envie me prenait de secouer Homère et de tout lui révéler mais tel que je le connaissais, il était capable de saisir son coutelas et de descendre s'occuper de Féfé malgré l'obscurité. Je ne parvins pas à m'endormir une seule minute et au devant-jour, ma décision était prise : j'accepterais. Si bien que lorsque Féfé vint m'appeler cet après-midi-là, je n'hésitai aucunement à le suivre dans les quarante-quatre marches. Un taxi nous attendait, garé sur le trottoir. Féfé demanda au chauffeur d'emprunter la route de Balata. Une pluie déversait de grosses gouttes sur la ville et cela me fit songer au tout premier jour au cours duquel j'avais débarqué à Fort-de-France. Comme j'avais changé ! Je ris en pensant aux manières campagnardes qui étaient les miennes et à la façon dont j'avais rencontré Tatie en train de poursuivre un cochon dans la boue de la Cour des Trente-Deux Couteaux. À présent, j'étais devenue une citadine et c'étaient les manières rustaudes d'Homère qui m'agaçaient à mon tour. La voiture traversa les

Terres-Sainvilles à grande vitesse. Du côté du Pont de Chaînes, j'aperçus une foultitude de gens en train de barrer des parcelles de terrain sur le flanc du Morne Trénelle où le maire permettait aux miséreux de s'en approprier gratuitement. Il y en avait même qui installaient des briques ou déchargeaient du sable à bord de camionnettes. Au fur et à mesure que nous montions vers Balata, une sorte de froidure m'enveloppait. Féfé ne pipait mot, effrayé qu'il était sans doute à la perspective que je change d'idée. Hon ! Ce type ne me connaissait pas. Il avait les yeux rivés sur la route qui sinuait au mitan des bambous et des fougères. À un moment, il dit au chauffeur :

« Ralentissez ! Y' a une entrée sur votre gauche, un peu plus haut, prenez là ! »

Finalement, nous arrivâmes à la devanture d'une imposante maison, une villa coloniale en bois, dont les pelouses croulaient sous les bougainvillées, les hibiscus et les alamandas. Une jeep attendait devant le perron comme si son propriétaire s'apprêtait à partir. Le bijoutier fit son apparition et se dépêcha de venir à notre rencontre. Il me saisit les deux mains qu'il baisa et lécha, puis il regarda Féfé et lui fit :

« Aujourd'hui, tu m'as fait un grand plaisir, vieux frère.

— Une main en lave une autre [65] », répondit l'amant de Philomène d'un ton énigmatique...

CHAPITRE XIII

CERTAINS SAMEDIS, Rigobert, Richard et les autres compères d'Homère nous entraînaient à danser dans un endroit appelé "Select-Tango" où l'on passait de l'excellente musique sud-américaine et parfois quelques succès créoles. Homère n'était pas le gars qui aimait à se trémousser. D'ailleurs, on le surnommait « Camarade-la-gaucherie » pour se moquer de lui tellement il avait l'habitude d'écraser les pieds de ses cavalières. Pour ma part, c'est en ville que j'ai appris à me secouer les hanches, surtout à l'époque du carnaval au cours de laquelle Tatie m'emmenait saucer dans tous les bals prolos des Terres-Sainvilles, de Ravine-Bouillé, voire même de Volga-Plage. S'il y avait quelqu'un qui excellait dans l'art de danser, c'était bien Tatie. Dès qu'elle débarquait dans un bal, elle faisait chavirer l'esprit de tous les hommes. C'est dans le cha-cha-cha qu'elle exprimait le mieux cette espèce d'aisance qui lui était naturelle. Ce qui fait que nous ne nous rendions jamais au "Select-Tango" sans lui demander de nous accompagner.

« Je viens juste faire un petit tour, nous répondait-elle. Vous savez que Féfé n'aime guère me voir fréquenter ce genre d'endroits. »

Mais lorsqu'elle était bien emballée par la danse, quand elle chavirait dans les bras d'un aussi fin danseur qu'elle, elle en oubliait l'heure. Minuit la surprenait en cet endroit et nous étions contraints de la faire s'arrêter. Quand elle arrivait chez elle, Féfé-la-prestance était assis sur le seuil en train de fumer comme un dragon, très en colère. Il attendait que nous soyons partis pour flanquer une raclée à Philomène et Homère me disait :

« Ne nous mêlons pas de ça ! Quand ils sont comme des tourtereaux et se caressent sans arrêt, ils n'ont besoin de personne. Je ne vois pas pourquoi lorsqu'ils ont une dispute, il faudrait que l'un d'entre nous s'interpose.

— Espèce de putaine ! entendions-nous Féfé brailler dans le noir. Je voudrais bien savoir avec quel genre de petit merdeux tu prenais ton pied ! »

Je demeurais plantée là un long moment avant d'entrer chez moi, les oreilles largement ouvertes, mais la roustance s'achevait dès que Tatie se mettait à sangloter. Je voyais la lumière de sa lampe briller jusqu'à ce qu'une main l'éteigne. Je ne suis jamais parvenue à savoir si Féfé-la-prestance restait dormir avec elle ces soirs-là ou s'il repartait pour la Cour Fruit-à-Pain. Selon Homère, il n'y avait aucun doute qu'il restait et que cela constituait une astuce de ma tante pour obliger son homme à partager sa couche de temps en temps.

Quand nous pénétrions au "Select-Tango", le vacarme de la musique et la fumée des cigarettes me prenaient littéralement à la gorge. Un essaim de nègres et de négresses, coincés les uns sur les autres, s'adonnaient à des danses endiablées, le visage dégoulinant de sueur. Homère s'empressait de nous trouver une table et commandait de la bière pour ses copains ainsi que de l'anisette pour Tatie et moi. Rigobert zieutait la masse de gens qui virevoltaient et lançait :

« Aaah ! Ce soir, faut que je m' dégote une mulâtresse ou bien une chabine rousse. Ha-Ha-Ha ! »

Richard, quant à lui, me conduisait au mitan de la piste d'une manière affectée, comme si j'étais son amante. Au début, cela m'embêtait et je pensais qu'Homère m'en ferait le reproche, mais mon homme était déjà parti dans un rêve depuis un siècle de temps, se laissant bercer le cœur par les paroles sirupeuses des chansons latinos de "La Sonora Matancera" [66]. Richard se serrait contre moi et frottait son gros ventre sur le mien, le sexe congestionné. Tout le monde au "Select-Tango" pratiquait le slow lascif et Rigobert, qui était un créolophone accompli, inventait des mots pour se payer la tête des danseurs.

« Quelle bande de braguetteurs ! » s'écriait-il

pendant qu'il était en train lui-même de braguetter une femme.

Ce n'est pas tant que j'adorais me faire peloter par les hommes mais, au fur et à mesure, une sorte d'engourdissement s'emparait de ma personne et je m'abandonnais aux bras de Richard. Je m'échappais loin, me resouvenant de ma mère et de mon arbre, revoyant la tristesse de Téramène lorsqu'il avait appris que le commandeur m'avait forcée. J'en oubliais l'ennui de la ville. Cette ville qui ne m'avait pas accueillie comme je le voulais. Parfois, mes yeux rencontraient ceux de Tatie dont les épaules étaient cernées par les bras de son cavalier comme si ce dernier avait peur de la perdre et, à coup sûr, un chagrin d'amour similaire devait également lui traverser l'esprit.

« Au lieu de danser avec ce couillon de Richard, regarde voir si tu ne rencontres pas quelque instituteur. Ici, tu peux trouver un bon parti, ma fille », murmurait-elle en surveillant Homère à la dérobée.

Mais peu de petits-bourgeois fréquentaient le "Select-Tango", lieu de rencontre habituel de la gueusaille, c'est-à-dire des servantes, des dockers, des chauffeurs, des marchandes et autres gens du même niveau social. Il est vrai que le samedi soir, certains jeunes mulâtres venaient y bambocher, mais ils n'avaient qu'une seule idée en tête : draguer les négresses à la peau foncée et aux cheveux crépus. Un jour, l'un d'entre eux profita du fait que Richard avait regagné la table où se trouvaient

Homère et ses compères à la recherche d'une boisson, pour m'inviter à danser. Je m'en trouvai si stupéfaite que je ne refusai pas comme à mon habitude. Aussitôt, j'aperçus un éclair dans le grain de l'œil d'Homère. Lui aussi était stupéfait. Qu'est-ce qui arrive à Adelise, devait-il se demander ? L'anisette l'a saoulée ou quoi ? Richard était furieux, mais il ne pouvait rien faire parce que dès que vous provoquiez une bagarre au "Select-Tango", deux nègres-Congo larges comme des armoires vous attrapaient par le col et vous catapultaient au-dehors comme des sacs de vieux vêtements.

Le mulâtre avait un parfum ensorceleur sur le corps et ses cheveux lisses me caressaient les joues avec une extrême suavité. Mon cœur se mit à battre très fort et le plat de mes mains devint froid. Alors, il me déclara en français :

« *Mademoiselle, c'est un ravissement de danser la mazurka avec vous. Comment vous appelez-vous ?* »

La beauté de son français m'étourdit encore davantage. Je me sentais plonger tête première dans un océan de bonheur et ce plongeon était sans fin. Je cherchai rapidement une réponse et ne voulus pas lui révéler que je portais un prénom aussi bouseux que celui d'Adelise. Je finis par répondre :

« *Je... Je m'appelle Marie-Claire...*

— *Mmm ! Quel joli prénom ! Il va à la perfection à une aussi jolie câpresse que vous. Si-si, je vous assure... vous venez souvent ici ?*

— *Comme ci comme ça.*

— *C'est-à-dire ? reprit l'homme. Tous les*

samedis ? Moi, c'est la première fois que j'y viens et je suis enchanté. En-chan-té ! »

Je le regardai et découvris qu'il avait les yeux verts et arborait des favoris qui lui descendaient presqu'au menton. Sa montre scintillait sous les lumières glauques de la grande salle du "Select-Tango". C'était un jeune gandin qui, final de compte, ne devait même pas avoir dix-neuf ans bien sonnés. Quand le morceau s'acheva, il saisit très fort mon poignet pour m'empêcher de regagner ma table, puis il me dit, en créole cette fois-ci :

« Chérie, tu restes avec moi ce soir… Je te veux pour moi tout seul. »

Je susurrai un « non-non » qui se perdit dans le brouhaha du lieu mais, bien que je ne voulus pas ridiculiser Homère, une sorte d'aimant m'attirait sur la poitrine du jeune mulâtre qui était, il faut le dire également, plus expert dans l'art de la danse qu'aucun des nègres aux manières frustes qui nous entouraient. Ses pas étaient légers et ses virevoltes n'étaient pas brutales. Homère, quant à lui, ne se faisait pas de bile mais les autres, les types du Morne Pichevin, s'excitaient beaucoup et je savais fort bien qu'ils se préparaient à rosser mon jeune cavalier mulâtre. Ce qui le sauva une première fois fut ce que l'on appelle le "quart d'heure de charme", c'est-à-dire que vers les onze heures et demie, on éteignait complètement toutes les lumières et on ne passait que de la musique romantique. D'habitude, Richard ou Rigobert, qui avaient dansé avec moi toute la soirée, cédaient leur place à

Homère. C'était là son premier pas de danse et comme il était encore frais, il ne me balançait pas encore de coups de genoux dans les cuisses ou ne m'écrasait pas encore les chevilles avec ses godillots. Mais ce soir-là, que dalle pour Homère ! Le mulâtre n'était pas renseigné sur nos habitudes, il avait débarqué comme un oiseau sur la branche, m'avait entraînée dans ses bras comme si je n'attendais que cela et, dès que les lumières furent éteintes, il me fit un profond baiser de sa langue qui me fit fondre dans ma chair. J'ignore pourquoi je répondis à son baiser avec une voracité qui me surprit moi-même. Chaque fois qu'il reprenait son souffle, il me disait :

« Ma petite chérie, ma petite chatte adorée… »

Et puis, sans même que je m'en rende compte, nous nous retrouvâmes à l'extérieur, esquissant encore des pas de danse et toujours aussi étroitement enlacés. Il me fit traverser précipitamment la rue et me demanda de monter à bord d'une automobile "Prairie" qui devait appartenir à son père, puis il fila vers la Pointe Simon à la vitesse d'une mèche. Arrivés au bord de la mer, il me fit pénétrer dans une case à agrès, me dévêtit et se mit à m'embrasser partout, sur le visage, les bras et m'étendit par terre sur un assemblage de filets de pêche. Nous fîmes l'amour sans parler, durant dix minutes peut-être, mais ce fut aussi délicieux que du sirop de miel. Il me réembarqua et me ramena au "Select-Tango" où le "quart d'heure de charme" continuait encore. Nous nous faufilâmes à l'intérieur et reprîmes notre danse lascive. Nous n'avions pas fini d'entrer que la lumière revint brutalement. Mon cœur faillit se détacher de ma poitrine. Qu'est-ce qui m'arrivait ? Où avais-je déniché cette témérité dont je faisais preuve ? Je n'arrivais pas à admettre que c'était moi qui avais agi de la sorte.

Je n'osais m'approcher de la table où Homère et les gars du Morne Pichevin étaient assis. Je les entendais émettre de violentes protestations et les autres danseurs se mirent à nous lorgner discrètement, le mulâtre et moi, parce qu'ils avaient compris qu'une embrouille se préparait. À un moment, j'entendis Richard, qui était plus énervé que tous les autres, gueuler « espèce de p'tit merdeux ! », mais le mulâtre n'en avait cure. Il frottait sa peau contre la mienne à la manière d'une sangsue et me remplissait les oreilles de propos amoureux. C'est sans doute quelque dieu qui le sauva la seconde fois. Au moment où Richard s'apprêtait à venir le saisir par le col, un saoulard surgit de nulle part et renversa la table où ils se trouvaient. Il s'agissait d'un rustaud, long comme le Mississippi, qui possédait deux bras extrêmement musclés et qui brandissait une bouteille de bière brisée à la main. Si bien que personne n'osait s'interposer, même pas les videurs, bien qu'ils fussent en proie à une fureur sans nom. Le nègre saoul gueulait comme un animal qu'on égorge :

« Je m'appelle monsieur De ceci De cela... hic !... Z'êtes tous une bande de minables, une bande de marche-à-pied, voilà... hic !... respect et honneur vous devez pour moi, oui, parce que quand je suis parti en dissidence [67], z'étiez tous cachés sous votre lit, capons que vous êtes !... J'ai fait la guerre dans les Ardennes, j'ai déraillé les Allemands. Ah ! C'est une race vaillante, je vous le dis ! On a beau raconter ce qu'on veut sur leur compte, c'est une race qui a des couilles. Hait le chien mais reconnaît qu'il a les dents blanches [68] ! C'est pas comme nous autres ici... hic !... »

Les videurs se décidèrent à avancer vers lui pour le flanquer à la porte mais il bailla un coup de bouteille cassée à l'un d'entre eux qui s'enfuit. Richard plongea sur lui mais le bougre l'envoya valdinguer à quatre pattes au mitan des tables et des chaises et le gars du Morne Pichevin ne se releva pas. Quelqu'un s'écria :

« Appelons les flics pour ce bougre-là ! »

Les musiciens continuaient à jouer toujours, croyant que la musique adoucirait le saoulard, mais ce fut un vain espoir. Quelques personnes dansaient dans un coin mal éclairé du "Select-Tango" mais la plupart s'étaient arrêtées par manque de courage. Le saoulard semblait fort satisfait d'avoir cassé le bal. Il faisait le malin, se pavanait dans la salle et finit par se planter devant Cirélise, une négresse obèse des Terres-Sainvilles, qui cherchait toujours à entraîner un bonhomme dans son lit lorsque le bal était fini. Le saoulard déclara à la cantonade :

« Mais regardez-la-moi ! À quoi elle ressemble ? Ha-Ha-Ha ! Son champ de patates [69] a été dévoré par les rats et les cochons. Il ne lui reste plus rien. Ha-Ha-Ha !... Hic !... »

Cirélise verdit. Elle étouffait de colère. Ses yeux proéminents roulèrent en tous sens dans leurs orbites et de la sueur se mit à luire abondamment sur son front. Quelques danseurs éclatèrent de rire, d'autres demandaient à ce que le propriétaire du "Select-Tango" appelât encore la police mais personne n'osait remuer le plus petit doigt. Si bien que Cirélise posa ses mains sur ses hanches, tendit sa croupière d'un côté de manière provocante, arbora une sorte de rictus et lâcha à même le visage du boissonnier :

« La chatte d'une femme s'use à raison d'un millimètre par siècle, comme une femme ne vit pas aussi longtemps, alors j'ai rien qui est usé sur ma personne. Espèce de bouvard ! Va te laver dans le canal Levassor, tu m'entends ! »

On aurait juré que la rebuffade avait dessaoulé d'un seul coup le gars. Il demeura figé sur lui-même, les bras ballants, à la façon d'un pantin de carnaval, avant de s'affaisser sur le sol. Les gens se précipitèrent, s'efforcèrent de le remettre sur pied, lui baillèrent à boire une goutte de tafia, mais le type s'était bel et bien évanoui et ce sont les flics qui réussirent à l'embarquer. Le propriétaire de la salle de danse, qui ne savait comment s'excuser, se plaignait comme une crécelle du Vendredi saint :

« Vous avez vu ça ! Non mais vous avez vu ça ! »

Il devait être trois heures du matin. Les gens étaient quelque peu mécontents car tant que le devant-jour ne les avait pas surpris à l'intérieur, ils ne cessaient de se remuer le derrière. Les videurs se mirent à redresser les tables et demandèrent aux danseurs de débarrasser le plancher. Homère m'attrapa par le bras et me dit qu'on rentrait tout de suite au Morne Pichevin. Lorsque mon petit mulâtre se rendit compte que j'étais accompagnée, il blêmit et me tourna le dos avant de se faufiler parmi la foule de gens qui se bousculaient pour sortir par l'étroite porte du "Select-Tango". Rigobert et les autres nous emboîtèrent le pas sans mot dire. La nuit était fraîche et j'eus envie de coller ma poitrine contre celle d'Homère mais je craignais qu'il ne me repoussât parce que j'avais dansé avec le mulâtre. J'admettais moi-même que je lui avais manqué de respect et ne comprenais pas du tout ce qui s'était passé dans ma tête. J'étais devenue cinglée ou quoi ! Le boulevard de La Levée était désert. Seuls des chiens sans maître y erraient, reniflant les boîtes à ordures. Au Pont Démosthène, nous butâmes sur Jésus-Christ, un blanc-pays qui vivait comme un clochard à travers les rues de Fort-de-France, mangeant des restes et buvant l'eau des caniveaux. Il était assis par terre et observait quelque chose dans le noir bien qu'il n'y eût rien à regarder. Sa barbe sale lui descendait presque au ras du genou et la crasse faisait des plaques sur sa peau.

« Comment tu vas, Jésus-Christ ? demanda Rigobert d'une voix amicale.

— T'as toujours ton chagrin d'amour, mon gars ? » lui demanda Richard en riant, le visage encore couvert de sang séché.

Jésus-Christ ne répondit pas. Jésus-Christ n'avait jamais desserré les lèvres depuis environ vingt ans à en croire radio-bois-patate [70]. Son cœur était déchiré par le chagrin d'amour depuis que sa famille s'était opposée à son mariage avec une négresse dont il était amoureux parce que les blancs-pays ne doivent pas épouser des gens de couleur. Lorsque sa dulcinée s'unit à un nègre, le désespoir s'empara du jeune blanc-pays qui sombra tout d'un coup dans la clochardise. Jésus-Christ me regarda dans le blanc des yeux et il me sembla qu'il me sourit faiblement. Richard lui offrit un reste de bière "Lorraine" que le blanc-pays but goulûment. Quand nous l'eûmes dépassé, sur la route des religieuses, Jésus-Christ gueula :

« Les femmes !… Les femmes, hon ! »

CHAPITRE XIV

Dieu avait écrit qu'Adelise ne garderait pas le bébé qu'elle portait dans le ventre. Un matin, elle se leva et eut envie d'aller voir Mme Tidiane au marché de l'Asile. Les années avaient succédé aux années, le temps avait chassé le temps sans qu'Adelise oubliât jamais que c'était cette vieille femme qui, le premier jour de sa venue à Fort-de-France, lui avait prêté son aide. Et puis c'était aussi une manière pour elle d'avoir des nouvelles de la campagne. Si bien que, de temps à autre, elle allait faire un brin de causer avec la marchande de légumes, en général en fin d'après-midi, c'est-à-dire avant que Mme Tidiane ne reprenne l'autobus pour remonter chez elle.

Aussitôt qu'elle aperçut Adelise ce jour-là, elle lui dit :

« Ah, ma fille ! Fais confiance à ta commère, elle t'assure que tu accoucheras au début de la pleine lune !

— Quoi ? Tu plaisantes, j'espère. J'ai même pas encore acheté le trousseau de mon petit nègre.

— Qui te dit que ce sera un garçon ? À la façon dont ton ventre est pointu, c'est à savoir si tu ne feras pas une fille. Regarde voir…, reprit la marchande en riant sous cape.

— Quoi, moi, faire une fille ! J'ai pas besoin de nid de serpents chez moi, fit Adelise. Vu la dureté de la vie d'aujourd'hui, une fille saura pas se défendre. Ne me dis pas qu'il s'agit d'une fille, chère maman ! »

Aussitôt qu'elle eut prononcé ces mots, elle sentit la tête lui tourner et son cœur eut des palpitations. Elle s'appuya sur l'épaule de Mme Tidiane, une sueur épaisse lui baignant le visage. La marchande la fit prestement s'asseoir sur un petit banc et entreprit de lui éventer la figure à l'aide de son chapeau-bakoua en lui demandant :

« Adelise, qu'as-tu, ma chérie ? Où as-tu mal ?

— Elle a eu un étourdissement », fit une autre marchande en s'avançant pour essuyer le front de la jeune fille avec le repli de sa robe créole.

« Reste avec elle. Je me dépêche d'aller lui acheter une fiole d'éther dans une pharmacie… », dit Mme Tidiane.

En cinq-sept, l'ensemble des marchandes et des clients du marché de l'Asile entourait Adelise, chacun proposant sa propre médication.

Un homme déclara :

« Palpez-lui le cœur pour voir s'il bat.

— T'es trop couillon ! rétorqua la marchande qui soutenait le corps d'Adelise. Regardez-moi comment les veines de son cou palpitent, comment pouvez-vous croire que son cœur s'est arrêté. Couillonnades !

— Eh, fais gaffe à la façon dont tu m' causes, bonne femme ! J' suis pas ton ami-camarade, j'ai pas été élevé dans la même case que toi, j'ai pas fait ma communion en même temps que toi, alors fous-moi la paix ! »

La marchande lâcha Adelise à une autre, se mit debout et ficha une calotte retentissante au bon-homme. Ce dernier trébucha, perdit le paquet de légumes-soupe et d'épinards qu'il avait en main et balbutia :

« Eh ben ! Eh ben ! Qu'est-ce qui m'arrive, bon sang ?

— C'est bien ce qui t'arrive ! reprit la marchande en se saisissant de son coutelas. Laisse les femmes se débrouiller ou sinon je te coupe les géni-toires ! »

Les gens se fendaient la gueule. Ils ne faisaient que crier « Vas-y, cogne ! Vas-y, cogne ! » ou bien « En lice ! » et avaient oublié Adelise qui finit par reprendre ses esprits toute seule. Elle s'appuya sur un tréteau à légumes, chercha à se remettre sur ses jambes, jetant des regards affolés autour d'elle, puis elle demanda :

« Où est Mme Tidiane ?

— Me voici ! Me voici, ma chérie ! Laisse-moi te mettre un peu d'éther sur les tempes, ma fille. Ça te fera du bien. Nom de Dieu, tu peux dire que tu m'as fais peur ! Tu ne veux pas voir un docteur ?

— Non-non !... Je me sentirai mieux dans un petit instant... va me chercher Féfé, à cette heure-ci, il a l'habitude de causer avec un coiffeur qui se trouve un peu plus haut d'ici, tu sais, un dénommé Édouard... »

Pour de bon, Féfé s'amena, la tête couverte d'un panama et vêtu d'un gilet d'alpaga blanc. Il avait le visage fort ennuyé et ne s'adressa à aucune des marchandes présentes. Il dit simplement à Adelise de l'attendre le temps qu'il aille chercher une voiture de course. Une vieille Cadillac datant de la guerre de 14 les embarqua et quand le chauffeur leur demanda où ils voulaient se rendre, Féfé répondit « au Morne Pichevin ». Le chauffeur se cintra sur son siège et ralentit son allure.

« Le Morne Pichevin est tout près d'ici », fit-il d'un ton inquiet.

— Vous ne voyez pas que la jeune mamzelle est malade ! répondit Féfé en colère.

— Je ne pénètre pas au Morne Pichevin... Je vais vous déposer près de l'église de Sainte-Thérèse, reprit le chauffeur.

— Je vois ! Nous, les gens du Morne Pichevin, on est des bandits de grand chemin ! Je vois ! Eh ben, voici votre argent, mon bon monsieur, puisque vous avez si peur que je ne vous paie pas. T'as regardé ma figure, mec ? »

Le chauffeur attrapa le billet que lui tendait Féfé, le fourra rapidement dans la poche de sa chemise, ne souffla plus mot et appuya sur l'accélérateur. Un embouteillage arrêta la voiture au Carénage : des gens gueulaient dans la rue en brandissant des pancartes.

« C'est quoi ce machin, demanda Féfé, le front traversé de mille plis.

— Des gars de la Compagnie Transatlantique qui sont en grève, je crois, répondit le chauffeur, j'ai entendu dire qu'on a emprisonné trois dockers ce matin parce que pas mal de marchandises ont disparu... D'ailleurs, c'est pas vos copains, les dockers ? Les dockers, c'est pas tous des gars du Morne Pichevin et de Sainte-Thérèse ?

— Moi ! J' crèche pas au Morne Pichevin ! Je raccompagne cette petite demoiselle chez elle parce qu'elle ne se sent pas bien. Elle est la nièce d'une bonne femme que j' connais. »

Adelise sentit tout son corps trembler. Elle voulut parler mais ses lèvres ne parvenaient pas à remuer. Elle essaya de saisir la main de Féfé mais ses doigts battirent dans le vide. Puis du sang se mit à couler en abondance entre ses cuisses, baignant son jupon ainsi que le siège de la voiture. Ses yeux tournaient à l'envers et aucun des deux hommes ne le remarquait tellement ils avaient les yeux rivés sur les grévistes. À un moment, Adelise reconnut Homère parmi eux. C'était bien lui ! Homère, son homme à elle ! Parfois, il faisait des petits boulots pour le compte de la mairie, parfois il dénichait quelque embauche sur le port, tout dépendait des jours. Quand Homère remarqua qu'Adelise se trouvait à l'intérieur de cette limousine américaine, quand il se rendit compte que Féfé se trouvait à ses côtés, il se dressa subitement, aussi figé que quelqu'un qui vient de rencontrer un zombi. On aurait dit que Féfé n'avait pas remarqué sa présence parmi les grévistes car il continuait à discuter avec le chauffeur.

« Libérez-les, libérez nos camarades ! » criaient les dockers en avançant au pas de tortue au-devant des innombrables voitures.

— On est là pour demain matin…, conclut le chauffeur de taxi avec lassitude.

— Merde alors ! » fit Féfé en cognant le siège du poing et c'est seulement à ce moment-là qu'il découvrit qu'Adelise se vidait de son sang. Le chauffeur et lui perdirent leur sang-froid tellement ils craignaient que la jeune fille ne meure dans la voiture. Le premier débarqua et demanda aux grévistes de déboucher le chemin pour qu'il puisse emmener un malade à l'hôpital. Ceux-ci ne le crurent pas, et demandèrent à inspecter l'intérieur du véhicule pour voir s'il disait vrai. Quand Richard baissa la tête pour jeter un œil par la vitre, son regard tomba dans celui de Féfé, il recula légèrement et lâcha avec froideur :

« Comment va ?

— Ça va, je m' débrouille, répondit Féfé. Cette petite mamzelle Adelise est en train de perdre le gosse qu'elle porte dans le ventre. Demande à tes amis de se dépêcher de nous ouvrir le passage, si jamais on tarde trop, elle peut y passer aussi.

— Mais le camarade Homère participe à la grève avec nous, fit Richard qui se retourna et s'écria : Homère ! Ho-mère !… Les amis, il est où, Homère ? Il était là y' a un moment et j' l' vois plus. C'est sa bonne femme qui est malade, il faut qu'il s' ramène immédiatement ! »

Les grévistes avaient beau gueuler le nom d'Homère partout, ils ne virent pas l'ombre de ce dernier. Alors l'un d'eux dit à Richard :

« Si jamais c'est un avortement qui a bousillé ainsi cette jeune fille, vaudrait mieux ne pas l'envoyer à l'hôpital pour que son mec et elle n'aient pas d'emmerdes avec la flicaille. Emmenez-la chez moi, j'habite à Eaux-Découpées, ma femme sait soigner ce genre de trucs avec des remèdes créoles. Qu'en dites-vous ? »

Richard se tourna vers Féfé pour lui demander s'il s'agissait d'un avortement lorsqu'il vit que le bougre était déjà descendu du taxi et qu'il fendait la foule pour disparaître du côté de la place de La Savane, habillé de ses beaux vêtements blancs bien repassés. Féfé avait abandonné Adelise dans la voiture en train de saigner comme un cochon de Noël ! Homère lui-même, que Richard avait mis tant de temps à convaincre de participer à la grève, était invisible ! La jeune fille était désormais sur son compte. D'ailleurs, le chauffeur dit à Richard :

« Je ne transporte pas de macchabée à bord de

ma bagnole, mec. Si tu m'accompagnes pas, je te largue la gonzesse par terre ici même !

— Je viens… » fit Richard d'une voix profondément troublée.

Les grévistes avaient ouvert un passage pour permettre au taxi de passer et le chauffeur monta vers Eaux-Découpées à toute allure. Le docker qui avait proposé que sa femme s'occupe d'Adelise s'était embarqué à l'avant, à côté du chauffeur. Il demanda à Richard de regarder si la jeune femme perdait toujours du sang mais cela était impossible à ce dernier car le fond de la voiture était devenu presque une mare rougeâtre qui avait peinturluré ses chaussures en une fraction de seconde. La peau d'Adelise était d'une froideur de marbre et s'était fripée comme celle d'une poule qu'on vient de plumer. Richard avait beau lui parler, lui demander où elle avait mal, lui bailler des paroles de réconfort, la jeune femme ne réagissait pas. Ses yeux ne battaient plus à présent et les larmes séchées qui couvraient ses joues lui donnaient l'air d'un masque de lundi gras. Final de compte, ils parvinrent à une allée de gliricidias environnée de maisons. Le docker leur fit porter Adelise dans sa chambre, appela son épouse et lui demanda d'essayer de faire quelque chose pour la jeune fille. Son épouse ne posa aucune question, elle s'empara d'une bassine et de quelques pots contenant des feuilles ou des portions et referma la porte de la chambre sur les trois hommes.

« Ma femme ne sait ni lire ni écrire, déclara le

docker avec fierté. Mais ne vous fiez pas à ça, elle soigne mieux qu'un docteur...

— Bon, je m'en vais ! » fit le chauffeur de taxi.

Richard accepta le verre de rhum que lui offrit le docker, l'esprit traversé de mille préoccupations. On s'en était allé Homère ? Avait-il vu Adelise ? Pourquoi s'était-il tiré de cette façon ? Richard, qui n'avait jamais perçu une relation vraie entre Homère et Adelise, se rendit compte qu'il était celui qui aimait le plus la jeune femme. Bien qu'il n'ait pas cherché à la courtiser, il se sentait bien en présence d'Adelise sans pouvoir expliquer pourquoi et il aimait à se presser contre elle quand ils allaient danser au "Select-Tango". Il se rappelait la douceur de ses seins lorsqu'ils frottaient contre sa poitrine et le frôlement de son sexe bombé contre ses genoux parfois. Quand il la comparait à sa propre femme, il constatait qu'Adelise était incomparablement supérieure à celle-ci.

« La vie est bête, réfléchissait-il. Ce qu'on ne désire pas c'est ce qu'on obtient, ce qu'on voudrait, c'est ce qu'on n'obtient pas. »

« Bon, causons sérieusement à présent, fit le docker en arborant un petit sourire grimaçant. C'est toi qui paies pour la gonzesse ou quoi ? T'es le pote de son mari selon ce que j'ai cru comprendre.

— J'habite tout à côté de chez eux.

— Ça vous fait au moins soixante-dix mille francs [71], si c'est pas davantage. Vous ne devez pas avoir cette somme sur vous, je parie, déclara le docker. Allez chercher son mari au Morne Pichevin et essayez de trouver une solution. Nous ici, on s'occupera d'elle pour vous. N'ayez aucune crainte à ce sujet ! »

Richard suivit donc le conseil du bougre et remonta tant au Morne Pichevin qu'à la Cour Fruit-à-Pain à la recherche du concubin d'Adelise. Mais point d'Homère ! Personne ne savait où le gars avait passé. Philomène fut prise de panique lorsque Richard lui raconta tout. Elle braillait tout en revêtant une robe propre :

« Bondieu-Seigneur-la Vierge Marie ! Je vous supplie d'épargner ma petite nièce. »

Rigobert arriva à son tour et raconta que les flics avaient dispersé les grévistes à travers la ville à coups de matraque. Son visage à lui en portait de nombreuses traces. Quand on lui demanda des nouvelles d'Homère, il répondit qu'il croyait que celui-ci était devenu cinglé. Il avait perdu les pédales. Il était devenu fou à lier. Rigobert l'avait vu en train de flâner à la Croix-Mission, se parlant à lui-même et faisant des gestes démonstratifs. Il avait fait comme s'il ne connaissait Rigobert ni d'Ève ni d'Adam. D'ailleurs, on aurait dit qu'il ne voyait personne, ni aucune voiture. Il traversait les rues sans regarder et les automobilistes l'injuriaient avec virulence.

« N'est-ce pas vous autres qui la tisonniez sans arrêt pour qu'elle vous rende le fric que les politiciens lui avaient soi-disant remis ! » dit Philomène d'une voix dure.

— C'est des trucs de mecs, t'en mêle pas, gonzesse ! lui coupa la parole Rigobert.

— Écoutez ! Quand vous aurez fini de vous disputer, faites-le-moi savoir ! intervint Richard. La petite Adelise est en train de crever et vous perdez votre temps à vous occuper d'Homère ! Si ce bougre voulait savoir où se trouve sa nana, il se serait démerdé pour ça ! »

Alors tous trois descendirent précipitamment aux Eaux-Découpées. L'épouse du docker lavait une serviette imbibée de sang au bord d'un bassin. Elle leur dit :

« Il était moins une ! Elle s'en sortira, mais si vous aviez tardé un peu plus à me l'amener, hon !

— Je veux la voir », répondit Philomène.

La femme l'autorisa à pénétrer dans la chambre mais elle en interdit l'accès aux hommes. Elle déclara que le spectacle était trop affreux. Pour de bon, les cuisses d'Adelise étaient aussi largement ouvertes que la fenêtre de Mme Périnelle et son sexe n'était plus qu'une plaie béante qui exsudait du sang et du pus. Sa peau avait pris une teinte sinistre d'aubergine qui a été mise à mûrir près d'une jarre et un léger gémissement filtrait à travers ses lèvres humides. Philomène se mit à pleurer bien qu'elle fût une maîtresse femme et sa langue s'engourdit d'un seul coup dans sa bouche. L'épouse du docker tamponnait la blessure à l'aide d'un morceau de coton pendant qu'elle s'efforçait de faire avaler à Adelise un breuvage créole rempli de feuilles.

« Qu'est-ce qui lui est arrivé ? demanda la guérisseuse. Elle est tombée ou quoi ? Ou alors elle est allée se faire avorter chez quelqu'un qui ne sait pas s'y prendre ? Ça m'a tout l'air d'un travail d'homme, ça ! »

Philomène ne répondit rien. Elle ne le pouvait pas. Plus elle fouillait dans son esprit, moins elle comprenait ce qui avait bien pu arriver à sa nièce. Homère et elle étaient si enthousiasmés à l'idée d'avoir un enfant ! Et puis quelque chose l'intriguait également : le fait que Richard lui ait dit que Féfé se trouvait à bord du taxi au moment où Adelise fut prise de malaise. Que faisait Féfé en sa compagnie ? À quel petit jeu jouaient-ils tous les deux ? Elle qui avait toujours eu confiance en sa nièce, une sorte de doute commençait à naître dans sa tête.

« Il faut qu'elle se repose ici quelques jours. » La femme du docker avertit Philomène.

« Combien de temps ?

— Je ne peux pas encore le dire… peut-être huit jours, neuf jours, cela dépendra de son état demain matin. Je lui ai baillé suffisamment de remèdes pour aujourd'hui mais maintenant, il faut compter sur sa résistance à elle. Je vous répète qu'elle a été à deux doigts de perdre la vie… »

Philomène prit la main de sa nièce et lui demanda :

« Adelise chérie, tu m'entends ?… Comment tu vas ? Ne t'en fais pas. Je suis là et je vais appeler ta mère. On s'occupera tous de toi… Allons, dis-moi quelque chose…

— Mmmmmm ! gémit Adelise.

— Elle vous entend certainement, fit la guérisseuse. Mais elle est incapable de rassembler ses idées à cause du charivari qui se déroule dans son crâne. Ne vous faites pas du mouron comme ça et laissez-la se reposer. Vous reviendrez demain. »

Pendant que les femmes se trouvaient dans la chambre autour d'Adelise, Richard et Rigobert avaient conclu un marché avec le docker : ils lui remirent la moitié de l'argent et lui dirent que Philomène lui baillerait le reste dès qu'Adelise serait rétablie. En remontant au Morne Pichevin, Philomène déclara :

« Vous les hommes, vous n'êtes donc pas si mauvais que ça ?

— Adelise est comme ma propre sœur, répondit Richard, et puis, de toutes façons, Homère nous remboursera. C'est une main qui en lave une autre.

— Tu n' crois pas qu'on devrait l'emmener à l'hôpital ? dit Rigobert à Philomène.

— Qu'est-ce que l'hôpital pourra bien faire pour elle ? Elle a perdu son bébé, voilà tout ! Quand on se trouve dans ce genre de situation, c'est son corps tout seul qui lutte contre la gangrène. Les remèdes de docteur ne vous sont pas de la moindre utilité. Je sais de quoi je parle, ça m'est déjà arrivé aussi... »

Il y avait grande foison de gens devant la case de Philomène. Dès qu'elles avaient appris la nouvelle de la fausse-couche d'Adelise, toutes les maquerelleuses du Morne Pichevin s'étaient radinées pour mieux décortiquer le ragot. Elles oubliaient que c'étaient elles qui poussaient leurs mecs à harceler Homère et Adelise toute la sainte journée afin qu'ils rendent l'argent offert par les politiciens. Elles oubliaient qu'elles ne rendaient plus le bonjour à Adelise. Maintenant, une antienne revenait sur leurs lèvres : « Pauvre petite Adelise ! Heureusement que tu pries pour elle, Philomène ! Le Bondieu lui accordera miséricorde. Eh ben ! Eh ben ! Eh ben ! » Philomène les ignora et ne les invita pas à entrer dans sa case. Elle passa devant elles la tête aussi roide qu'un serpent-couresse qui traverse une rivière. Elles sursautèrent et l'une d'entre elles demanda à Rigobert :

« J'ai entendu dire que Féfé poussait Adelise à aller au vice avec des bourgeois d'En-Ville, c'est vrai ?

— Quel beau salaud, ce Féfé ! fit une autre. Il n'a pas compris qu'au moment où la jeune fille était tombée enceinte, il fallait qu'il arrête de la mêler à ce type de vagabondageries !

— Hé, maquereau ! lança la femme de Richard à son mari. C'est toi qui sers de mari à Adelise, maintenant. Ha-Ha-Ha ! Homère est en train de se balader à droite et à gauche et pendant ce temps-là c'est toi qui portes secours à Adelise. Elle devait te bailler à goûter un peu de son machin. Ha-Ha-Ha ! »

Le groupe de maquerelleuses éclata de rire. Rigobert et Richard s'en allèrent boire un verre de rhum à la boutique de Mme Cinna. Et puis la fenêtre de Philomène s'ouvrit brutalement, la femme apparut, un pot de chambre d'Aubagne à la main, et gueula en projetant l'urine sur les maque-relleuses :

« Voici ce que vous valez ! »

Elles disparurent aussi vite qu'un vol de merles qui auraient entendu un coup de feu. Des injuriées se mirent à fuser à travers la Cour des Trente-Deux Couteaux. Quelques types qui jouaient au bonne-teau sur une vieille caisse de morue séchée, furent pris d'une crise de rire et se mirent à réconforter Philomène :

« Balance-leur du caca aussi ! T'es trop gentille avec elles. Ha-Ha-Ha ! »

Homère disparut pendant quatre jours. Rigobert commença à s'inquiéter et déclara qu'il se rendrait à sa recherche à Terres-Sainvilles et au Bord de Canal. Tout le monde était d'avis de ne pas mêler les flics à l'affaire car ce serait l'occasion rêvée pour eux de venir fouiner dans les affaires des gens. Chaque jour, Philomène visitait Adelise et revenait avec de bonnes nouvelles : la jeune fille se remettait au fur et à mesure. Elle réussissait à parler bien qu'elle ne pût fournir d'explication sur ce qui lui était arrivé.

« La première chose qu'elle a demandé, leur dit Philomène, c'est un verre de madou… [72]

— Hon ! Désir de femme enceinte ! fit Richard. Elle n'arrive pas à admettre qu'elle a perdu son enfant, pauvre diable ! »

Féfé avait disparu lui aussi. Chaque soir, Philomène allait rôder près de sa case qui demeu-

rait hermétiquement close. Le voisinage ignorait où
le bougre avait passé et, pour taquiner son amante,
ils feignaient de la consoler en l'assurant qu'elle
rencontrerait un nouvel amoureux. Philomène sentait qu'à son tour elle était en train de perdre ses esprits. La nuit, dans son lit, elle maugréait :

« Mon Dieu, que t'ai-je fait pour que tu m'ac-
cables de deux éléphantiasis dans la même
jambe ? »

Mais le Bondieu gardait le silence et Philomène
continuait à prier pour qu'Adelise retrouve sa santé
et pour que Féfé revienne vivre à la Cour Fruit-à-
Pain. Le premier vœu se réalisa à peu près deux semaines plus tard : Adelise était encore un peu mala-
dive mais elle était capable de marcher et de parler.
Elle ne s'enquit jamais auprès de Philomène des
nouvelles d'Homère et quand elles arrivèrent au
Morne Pichevin, elle demanda à sa tante si elle pouvait habiter à nouveau avec elle. Celle-ci ne demandait que ça ! Si bien que les deux femmes reprirent
la même petite vie qu'elles menaient à l'époque où
Adelise venait de débarquer à Fort-de-France. Et
comme si elles avaient passé un accord tacite, aucune ne posait à l'autre la question de savoir où son
amoureux avait passé. Quand l'une d'entre elles se
mettait à critiquer les hommes, l'autre comprenait
aussitôt qu'elle était la proie du chagrin.

Quelques mois après qu'Adelise se fut installée
chez sa tante, Homère fit son apparition. Tous les
gens du quartier remarquèrent qu'il ne s'agissait
pas de la personne qu'ils connaissaient. Un autre

homme leur faisait face et Adelise, bien qu'elle tentât de se convaincre qu'Homère avait perdu la raison après qu'il l'eut vue dans le taxi avec Féfé, se rendait compte elle aussi qu'il était devenu autre. Un sorte d'étranger. Il n'avait plus la même odeur ni la même voix, ni la même allure. Homère faisait subitement de grands gestes, parlait à haute voix, faisait le fier-à-bras ou au contraire se plongeait une journée entière dans un rêve éveillé. Adelise prit conscience qu'elle avait peur de lui et quand ce dernier lui proposa de reprendre la vie commune, elle ne chercha pas à discutailler avec lui, elle rangea ses effets et dit au revoir à sa tante. Philomène ne fit constater qu'une seule et unique chose à sa nièce : Homère ne lui avait jamais demandé pourquoi son ventre était si soudainement redevenu plat. Pour lui, on aurait juré qu'Adelise n'avait jamais été enceinte.

Un matin, Homère dit à Adelise :

« J'ai barré un morceau de terre à Trénelle. C'est à cet endroit que j'ai construit ma maison. Dépêche-toi de me préparer une gamelle pour moi et trois de mes copains à qui j'ai demandé de venir me bailler un coup de main. D'ailleurs, tu nous accompagnes ! »

Adelise ne souffla mot. Elle prépara une gamelle et ils descendirent le boulevard de La Levée et remontèrent par les Terres-Sainvilles. Homère parlait à lui-même au beau mitan de la rue et les gens lui lançaient des regards en catimini. Adelise marchait à sa suite, tel un pantin et elle lisait dans le regard des gens qu'on la plaignait. Elle se demandait comment sa vie se déroulerait maintenant avec ce type appelé Homère mais qui n'était plus Homère. D'abord, elle haïssait le quartier de Trénelle ! Homère le savait pertinemment, pourquoi donc s'entêtait-il à choisir cet endroit ? Pourquoi ? Adelise eut envie de vomir, de fuir cette ville qui ne lui apportait rien, ses automobiles luxueuses, ses magasins de vêtements ou de chaussures qui vendaient à des prix exagérés, de se trouver à mille lieues de ces mulâtres de l'En-Ville avec leur beau français collet monté et leurs sourires menteurs. Elle en avait par-dessus la tête de Fort-de-France. Elle se mit à penser très fort à son arbre et cela lui bailla la force et le courage de grimper le raidillon de Trénelle. Mais à la vue des trois copains d'Homère, le buste nu, en train de retourner la terre afin d'y planter des poteaux, elle prit ses jambes à son cou, pleurant jusqu'à en étouffer. Homère courut à sa poursuite en criant :

« Adelise, reviens ! Qu'est-ce qui t'arrive, bon sang ? Reviens, j' te dis, si tu ne veux pas que je te démolisse le portrait. »

Adelise courut, courut, courut. Jusqu'au Morne Pichevin. Parvenue à l'en-haut des quarante-quatre marches, elle se laissa tomber sur le sol comme une masse tellement ses jambes flageolaient. Mais les douleurs de sa fausse-couche resurgirent dans ses entrailles et elle se recroquevilla pour attendre...

CHAPITRE XV

TATIE est mal fichue depuis Pâques. C'est du moins ce qu'elle dit. Elle demeure allongée sur son lit toute la sainte journée, les yeux fixés au plafond, l'esprit ailleurs et quand on lui demande si elle ne voudrait pas se mettre un petit quelque chose sur l'estomac, elle vous répond : « J'ai le corps qui ne se sent pas bien... pas bien du tout, ma fille... »

Elle ne ressent aucune douleur à l'intérieur de ce dernier, me semble-t-il. C'est son esprit qui est en proie à un chiffonnement ininterrompu. Elle savait bien qu'elle subirait l'assaut des ans et que, dans quelque temps, sa chair ne ferait plus saliver les hommes. Voici la raison pour laquelle elle se peinturlurait le visage de fard, se mettait davantage de poudre qu'avant et que ses jupes étaient aussi courtes que celles d'une petite donzelle.

« Veux-tu que je te prépare un thé aux feuilles de corossol, Tatie ? lui demandais-je.

— Non, je suis en train de me faner. Aucune espèce de thé ne pourra m'enlever du merdier dans lequel je me trouve.

— Féfé ne...

— Ne parlons pas de ça, ma fille ! Je ne veux plus voir la gueule de ce bougre. Tu n' sais pas un truc : dès qu'il est sorti de la geôle, il est allé rejoindre une nana qui est secrétaire et qui crèche à Petit Paradis et il l'a épousée ! »

Cette nouvelle me fit l'effet d'un choc. Féfé s'était marié ! Féfé, le type pour qui les femmes étaient la dernière des races après les crapauds ladres ! Mais je me disais qu'il était resté enfermé à la geôle pendant trois ans et qu'il avait peut-être réfléchi à son avenir et changé sa conception des choses. On l'avait incarcéré pour une histoire de tontine qu'il avait détournée selon ce qu'avait répandu radio-bois-patate. Tous les jeudis matin, Tatie allait lui rendre visite, un gros paquet sous le bras contenant des bocaux de prunes de Cythère ou de merises, du tabac, de la farine de manioc, des choses de ce genre et parfois elle m'envoyait à la poste pour lui expédier un mandat. Elle me répétait :

« T'as du pot d'être tombée sur un gars bosseur, le mien n'aime que les magouilles... hon ! Le Bondieu est le maître de toutes choses. Que veux-tu ! »

Si elle savait ! Si elle savait que l'amour que

j'avais porté à Homère n'avait duré qu'une seule saison d'hivernage ! Aussitôt après, j'en étais venue à regretter d'avoir accepté de me mettre en ménage avec lui tellement il était un homme abrupt, grossier, sans la moindre douceur dans son comportement. Il partait travailler le matin sans prononcer un seul mot à mon endroit, sans m'embrasser, sans rien du tout et s'imaginait que lorsqu'il reviendrait le soir avec deux kilos de cochon ou une boîte de biscuits, il me ferait grand plaisir. Il se saisissait d'un gros poste de radio qu'il avait acheté en contrebande sur le port et l'ouvrait à fond pour capter des stations de langue espagnole ou anglaise. Je me demande bien ce qu'il écoutait ! Il ne savait même pas très bien accoler deux mots de français entre eux, allez voir des langues étrangères ! Mme Richard, notre voisine, m'avait déclaré un jour, un rictus aux lèvres :

« Quel homme lourdaud tu possèdes là, tonnerre de Dieu ! Ouvrir un poste de radio aussi fort dans les oreilles d'autrui ! Il est sourd ou quoi ? »

Je n'osais pas demander à Homère de diminuer le volume de la radio parce que lorsque l'anglais ou l'espagnol lui cognaient l'esprit ainsi, rien ne pouvait l'extraire de l'état d'hébétude dans lequel il se trouvait. Mon repas étant préparé depuis le matin, je n'avais strictement rien à faire et j'étais forcée d'attendre à l'intérieur de la maison toute seule que la nuit tombe et que mon homme rentre. Parfois, j'essayais d'entamer une conversation avec lui mais il ne répondait pas davantage que « Ouais » ou

« Hon ». Une seule fois, il se décida à s'entretenir avec moi au sujet du projet de la mairie de Fort-de-France de raser le Morne Pichevin afin d'y construire de belles maisons à étages. Ses copains et lui avaient déjà ingurgité pas mal de punchs ce soir-là et ils trébuchaient dans les quarante-quatre marches.

« Le Morne Pichevin est très bien comme ça, gueulait Homère. Qu'est-ce qu'ils ont dans la tête, les bourgeois, pour qu'ils cherchent à bousculer ainsi nos habitudes ? Qu'est-ce qu'ils veulent ? On leur a demandé quelque chose ? Qu'est-ce t'en penses, Adelise ?

— Ici ce n'est guère... guère propre, tu sais. Si jamais ils arrangeaient la route, l'asphaltaient et mettaient de l'électricité, peut-être que... peut-être que ça serait une bonne chose. À l'époque de l'hivernage, on se débat dans la boue comme dans une porcherie... »

Homère changea de couleur en m'entendant. Sa bouche demeura grande ouverte comme s'il était devenu soudainement débile et des vapeurs de tafia s'en échappèrent, empuantissant son entour. Il ne savait quoi me répondre ...

« C'est pas croyable ! Pas croyable ! répétait-il en faisant mine de sourire.

— Avec tous ces malfaiteurs qui traînent dans le quartier, ça serait un bon débarras que de leur faire prendre la poudre d'escampette », fis-je à nouveau.

Les yeux d'Homère étaient devenus rouges et proéminents. Une sorte de tremblement secouait ses deux mains. Il cherchait à les lever pour parvenir à prononcer quelque parole mais elles retombaient avec lassitude sur ses cuisses.

« Pas possible ! » répétait-il.

Je pense que c'est cette affaire qui avait déréglé l'esprit de Tatie également, ce projet de transformer le Morne Pichevin du tout au tout. C'était un bouleversement trop grand pour elle : Féfé l'avait larguée pour épouser une jeunesse dont il venait de faire la connaissance et le quartier dont elle, Philomène, était l'une des pièces maîtresses, prendrait un tout autre aspect une fois que la mairie l'aurait rénové. Alors elle décida que sa santé n'allait pas bien et se mit au lit dans l'attente de la mort. Comme elle savait que j'avais eu une grosse dispute avec Homère parce qu'il voulait me contraindre à vivre avec lui à Trénelle, elle m'avait demandé de venir habiter définitivement avec elle. Je rassemblai tout mon courage, descendis chez elle et m'y cachai trois semaines durant sans pointer une seule fois le nez au-dehors, sauf au crépuscule pour prendre mon bain. Homère était persuadé que j'étais allée rejoindre mon père au Bord de Canal. J'avais revendu à Rigobert quelques colliers en or afin d'avoir de quoi subsister. J'étais sûre qu'il en retirerait dix fois plus d'argent mais Tatie et moi avions besoin d'être dépannées. Elle, Tatie, avait besoin de se déprendre de sa vie qui s'était installée dans une impasse ; moi, j'avais besoin de me défaire d'Homère.

Il m'arrivait parfois de réfléchir à ce qui avait

bien pu m'attirer chez un homme aussi fruste que lui. Un type qui n'était ni plus élégant ni plus intelligent qu'un autre. Un bouseux qui venait de sortir de sa glu et qui savait à peine faire une phrase en français. Je ne trouvais qu'une seule réponse à cette interrogation : le fait qu'il fut le premier à m'avoir révélé le nom de mon arbre. Je l'entendais me dire comme s'il le faisait sur le moment même :

« Ça doit être un jastram, ton arbre ! »

Un jastram ! Un jastram ! Ce nom bourdonnait à mon esprit tel un sortilège, comme un sésame qui m'ouvrait les portes d'un autre univers. Je m'imaginais mangeant les petites fleurs blanches de mon arbre lorsque j'étais enfant à la campagne du Gros-Morne. Plus tard, un professeur de sciences naturelles du lycée Schoelcher, qui me faisait l'amour contre espèces sonnantes et trébuchantes, m'en avait confirmé le nom.

« C'est un arbre rare, comment le connais-tu ?

— Il y en avait un près de chez ma mère…

— Pourquoi t'intéresse-t-il tant ? m'avait-il demandé d'un ton curieux. Ses feuilles contiennent du poison selon ce que je sais.

— Je sais… un poison qui vous bousille les entrailles… mais qu'est-ce qu'elles sont jolies, ses petites fleurs blanches !

— Eh ben, écoute, désormais je vais t'appeler Jastram », fit-il en éclatant de rire.

Mais mon jastram était-il encore debout au fond de notre jardin ? Ma mère ne l'avait-elle pas fait couper en final de compte comme le lui avait de-

mandé le quimboiseur puisque en fait, l'arbre en
était venu à mourir sur pied ? Je n'étais jamais re-
venue au Gros-Morne depuis neuf ans que je vivais
à Fort-de-France. C'est ma mère qui me rendait visite mais nous n'avions guère le temps d'entrer
dans des conversations approfondies. Elle me seri-
nait :

« Comme tu es élégante, ma fille ! Hou-là-là, tu
es tout à fait à l'aise en ville à ce que je vois …

— Couci-couça…

— Ne me dis pas "couci-couça", je te vois bien,
fraîche, potelée. Ah, quelle mignonne demoiselle
j'ai mise au monde ! Le boulot n'est pas trop dur
dans l'épicerie où tu es employée ?

— Pas tellement…

— Eh ben, va t'occuper de tes petites affaires,
ma fille ! On se verra une autre fois. J'ai amené
deux paniers d'ignames et de choux de Chine à
vendre. Écoute, remets à Philomène ce paquet de
ma part, s'il te plaît, l'autre sachet c'est pour toi. »

Nous nous embrassions rapidement et chacune
d'entre nous continuait à vivre dans la voie qu'elle
s'était tracée. Ainsi allait la vie, me disais-je afin
d'étouffer l'amertume qui me prenait à la gorge.
J'aimais tant ma mère et voilà que nous étions devenues comme des étrangères l'une pour l'autre !
Maintenant, la personne qui m'était la plus proche
était Tatie bien qu'un court moment, j'avais feint de
croire qu'il s'agissait d'Homère.

Si bien que lorsque je pris conscience que ma
tante était en train de se laisser mourir, j'éprouvai

une vive émotion. Je vis que j'allais être seule sur terre. Seule avec moi-même. Et, en fait, je n'avais pas mis un sou vaillant de côté. Tout l'argent que j'avais gagné avait été dépensé soit pour elle, soit pour Féfé-la-prestance, soit pour Homère. J'avais vécu avec l'insouciance d'une libellule. Il ne me restait plus que les colifichets qu'Alcide Crestor, le bijoutier, m'avait offerts, bien que le jour où Homère avait découvert la boîte en carton où je les cachais, il s'était emparé du plus beau d'entre eux, un collier-forçat [73], et l'avait écrasé en miettes à l'aide d'un marteau. Homère m'avait traité de putaine, mais il n'avait rien compris à rien. Il n'avait pas compris que depuis ma plus tendre enfance, dès l'époque où un commandeur m'avait déflorée dans les halliers, offrir ma chair ne représentait aucune valeur à mes yeux. Lui, Homère, je ne lui avais jamais offert mon corps mais bien mon cœur. Ce même cœur dont j'avais fait offrande au jastram.

Tatie avait commencé à s'adonner à la boisson. Elle buvait depuis le devant-jour jusqu'à la nuit tombée, vomissant sur le plancher comme quelqu'un qui rend ses boyaux. Un soir, au mitan de la nuit, elle m'appela de sa voix âpre :

« Ma petite fille, viens près de moi, je ne verrai pas demain...

— Cesse de dire des bêtises ! fis-je, complètement affolée

— Tu ignores qu'on ne voit demain que si Dieu veut, s'il plaît à Dieu, comme ma grand-mère disait autrefois... Eh ben, cette fois-ci, le Bondieu qui est au ciel ne veut plus. Je suis arrivée au bout du chemin… Je voudrais te bailler un petit conseil, ma chère Adelise : file pendant qu'il est encore temps ! Laisse ce trou à rats pour les sauvages qui nous environnent ! Ils sont pareils à des chauves-souris. En plein jour, ils trébuchent comme des aveugles, mais pendant la nuit, ils sortent. La nuit leur appartient. Ils vont crever dans leur aveuglement, je t'assure ! J'ai un ami qui travaille en France depuis pas mal d'années. Je lui ai écrit pour lui demander s'il pouvait te faire venir. Il est d'accord. Il m'a répondu que là-bas, c'est pas le travail qui manque. On se baisse pour en ramasser par terre. Tire-toi d'ici, ma fille ! Tu creuseras ta tombe, tu gaspilleras ta vaillance au Morne Pichevin tout comme moi et puis, un jour, tu te rendras compte que tu ne vaux pas davantage qu'un paquet de hardes sales. Que tu es prise au piège. Que tu ne peux trouver d'issue nulle part… Tu écoutes ta tante, Adelise. Ton argent se trouve sur un compte au Crédit martiniquais. Tiens, le numéro est inscrit sur ce bout de papier, tu vois. Il y a environ six millions [74] sur le compte, prend-les et va-t-en à Paris… T'es pas une fainéante, tu sauras trouver un bon poste. Ne me fais pas comme les nègres d'aujourd'hui ! Ils se comportent comme des chats. Tu connais l'histoire du Chat ?

— Non…

— Eh ben… Chat se trouve à la maison, il roupille tout son saoul. Son maître lui demande :

"Chat, viens m'aider à balayer !

— Suis malade !

— Chat, viens m'aider à trier les lentilles !

— Suis malade !

— Chat, viens chasser un rat qui s'est caché sous le lit !

— Suis malade !" »

J'étais morte de rire car Tatie prononçait chaque fois "suis malade !" comme un miaulement. Des larmes lui venaient aux yeux tellement elle riait également. Elle fit poser au chat par le maître près d'une vingtaine de questions et, chaque fois, le chat murmurait la même réponse amusante. « Ne voilà-t-il pas, continua Tatie d'une manière plus sérieuse cette fois-ci, que le maître lui dit :

"Chat, viens t'asseoir près de la table pour avaler quelque chose !

— J' vais faire mon possible", a-t-il miaulé.

Eh ben, ma chère Adelise, de nos jours, le nègre est devenu pire que Chat tellement il est fainéant. T'as même pas le temps de leur poser toutes ces questions, dès que tu dis "Chat", ils te rétorquent "suis malade !", "Chat", "suis malade !" Ha-Ha-Ha ! Dieu merci, t'es pas comme eux. Va-t-en à Paris, ma fille. Les blancs-France aiment les gens qui bossent... »

La respiration de Tatie se coupa net et un mélange de sang et de pus jaillit de ses narines.

« Je vais chercher un docteur..., bredouillai-je.

— Quoi ! Mais je t'ai parlé ! Je ne veux pas qu'un docteur vienne fouiner sous ma robe. Toi-même, est-ce que tu as été sauvée par un docteur ?

Je sais très bien ce que j'ai, je sais très bien que je vais mourir. Personne ne peut rien pour moi. J'ai toujours pensé que j'allais mourir tôt, eh bien c'est ce qui est en train de se réaliser ! »

Quand elle prononça ces mots, je ne pus m'empêcher de rire car moi aussi, j'avais toujours su à quel âge je mourrais. Je l'avais révélé comme un secret au jastram : trente ans. Mais, me concernant, il s'agissait d'une espièglerie, ce n'étaient pas des paroles sérieuses. Pendant que je me remémorais comment je collais mes lèvres sur l'écorce de mon jastram pour lui confier mon secret, Philomène monta à Galilée. Elle entra dans la société des ventre en l'air [75]. Je ne pleurai point. Je demeurai assise sur le bord de son lit et regardai son beau visage que des années et des années de déveine, des nuits entières sans sommeil, de putainerie et de bière n'avaient pas réussi à détruire tout à fait. Un visage qui ressemblait à celui de quelqu'un ayant enfin obtenu deux sous de repos après avoir souffert de mille maux. La nuit se déroula sans encombres jusqu'à ce que j'entende le camion de tinettes. J'attendis encore un petit moment, le temps que les camions à ordures se mettent à vacarmer. Il était quatre heures et demie du matin. Je sortis, examinai le ciel, je vis qu'il avait des teintes roses et jaunes, telle une pomme-liane, à travers les nuages de beau temps, à cause des rayons du soleil. Je sentis qu'il s'agissait d'un jour nouveau, qu'une autre vie commençait pour moi. Et quand j'aperçus Rigobert qui s'approchait au pas de course dans le méchant sentier, je ne sais pas pourquoi j'eus la certitude que je m'en irais en France. Sûr et certain.

« Adelise! Ohé, Adelise ! hurlait Rigobert, les yeux baignés de larmes. Homère, ton homme... Homère s'est jeté sous les roues d'une voiture près de la Croix-Mission ! »

La Carrière (Vauclin)
Février 1986-juin 1987

Homère commit suicide ?

NOTES DE L'AUTEUR

1 - Nom secret du serpent. Croyance d'origine africaine qui assure que le meilleur moyen d'éviter de rencontrer un serpent consiste à ne pas le nommer. (p. 10)

2 - Sorte de contremaître dans la plantation de canne à sucre. (p. 10)

3 - Animal fabuleux des légendes créoles qui est censé être un sorcier métamorphosé en cheval ne possédant que trois pattes. (p. 11)

4 - Sorte de canif. (p. 21)

5 - Personnage des contes créoles dont la fenêtre ne parvenait pas à rester fermée à cause des agissements du Diable. (p. 24)

6 - Sorte de bouillie pour bébé à base d'une racine appelée "lenvert" en français et "arrow-root" en anglais. (p. 26)

7 - Femmes chargées de lier les bouts de canne à sucre coupés par les hommes. (p. 29)

8 - Enfants chargés de lier les bouts de canne à sucre oubliés par les amarreuses. (p. 30)

9 - Instrument de musique composé de deux bâtonnets que l'on frappe sur un morceau de bambou. (p. 31)

10 - Bureau des Migrations des Départements d'Outre-Mer. (p. 38)

11 - Sorte de portefaix qui transporte au marché les paniers des vendeuses de légumes. (p. 39)

12 - Moment du crépuscule tropical où il se produit une fine rosée. (p. 49)

13 - Sorcier ou devin créole. (p. 49)

14 - Personnage des contes créoles qui mystifie tout le monde, comparable au Goupil français. (p. 50)

15 - Arbre à partir duquel on fabrique des barques. (p. 50)

16 - Vêtement ample ressemblant au boubou africain. (p. 55)

17 - Jeu d'enfant consistant à se laisser glisser sur une branche sèche de cocotier du haut d'une éminence. (p. 57)

18 - Fier-à-bras de quartier. (p. 64)

19 - Type racial désignant un métis de noir et de blanc au teint et aux cheveux rougeâtres (au féminin, chabine). (p. 66)

20 - Sorte de marsupial des Tropiques qui n'évolue que la nuit. (p. 69)

21 - Blancs martiniquais, descendant des premiers colons français du XVIIᵉ siècle. (p. 71)

22 - Pratiques magiques créoles fortement teintées de croyances africaines et comportant des éléments chrétiens et hindous. (p. 72)

23 - Type racial désignant un métis de noir et de blanc à la peau brun foncé et aux cheveux ondulés (au féminin, câpresse). (p. 73)

24 - Employé d'autobus chargé, dans les années cinquante, de mettre une cale sous les roues arrière du véhicule quand celui-ci était contraint de s'arrêter dans des montées. (p. 76)

25 - Cale placée sous les roues arrière des autobus à l'arrêt dans une montée. (p. 78)

26 - Saison sèche qui va de janvier à juillet. (p. 91)

27 - Saison des pluies qui va d'août à décembre. (p. 94)

28 - Quartier populaire situé au sud-ouest de Fort-de-France. (p. 95)

29 - Tombereau servant à transporter la canne à sucre dans les champs. (p. 101)

30 - Pratiques divinatoires. (p. 109)

31 - Service de voirie de matières fécales. (p. 109)

32 - Fruit tropical de couleur violacée. (p. 111)

33 - Arbre tropical donnant un fruit rose en forme de cœur de bœuf. (p. 112)

34 - Ancienne mesure paysanne française qui fut en usage aux Antilles jusqu'aux années soixante et qui équivalait à 12,5 centilitres. (p. 113)

35 - Nom anciennement péjoratif, donné aux descendants des Indiens de l'Inde emmenés aux Antilles, dans la deuxième moitié du XIXᵉ siècle, afin de remplacer les Noirs dans les champs de canne à sucre après l'abolition de l'esclavage en 1848. (p. 115)

36 - Supporter de l'équipe du Golden Star, célèbre équipe de Fort-de-France. (p. 115)

37 - Plus ancienne équipe de football de la Martinique. (p. 115)

38 - Célèbre équipe de football de Fort-de-France. (p. 115)

39 - Musique traditionnelle martiniquaise d'origine africaine. (p. 116)

40 - Épicerie-bar. (p. 120)

41 - Devins. (p. 122)

42 - Sorciers pratiquant le "quimbois", magie créole à base de croyances amérindiennes, africaines, chrétiennes et hindoues. (p. 122)

43 - Quimboiseurs aux pouvoirs exceptionnels. (p. 122)

44 - Sorciers. (p. 122)

45 - Anneaux créoles en forme de dalhias. (p. 127)

46 - Période de la deuxième guerre mondiale au cours de laquelle la Martinique fut gouvernée par l'amiral Robert, favorable au régime de Vichy. (p. 127)

47 - Gallodrome. (p. 128)

48 - Nom donné aux Antilles à la plantation de cannes à sucre. (p. 133)

49 - Gros coquillage des mers chaudes. (p. 136)

50 - Allusion au proverbe créole selon laquelle la femme tombée se relève toujours comme le fruit du châtaignier qui repousse tandis que l'homme dans la même situation est un fruit-à-pain lequel pourrit sur le sol. (p. 140)

51 - Instrument de musique créole de forme allongée comportant des striures que l'on frotte à l'aide d'un objet métallique pour en tirer des sons. (p. 141)

52 - Sorte de danse-combat d'origine africaine ressemblant à la "capoiera" brésilienne. (p. 153)

53 - Déguisement carnavalesque inspiré d'un masque rituel africain et composé de feuilles de bananier séchées et tressées. (p. 155)

54 - Célèbre chanson de carnaval. (p. 156)

55 - Déguisements composés de pyjamas, de chemises de nuits et sous-vêtements usagés. (p. 156)

56 - Célèbre chanson de carnaval où il est question d'un gendarme à cheval qui oblige quelqu'un à embrasser son épée. (p. 157)

57 - Pantin représentant le roi du carnaval. (p. 157)

58 - Proverbe créole évoquant le caractère éphémère de la beauté et de la jeunesse. (p. 160)

59 - Sorte de barque creusée dans le tronc d'un arbre appelé également "gommier". (p. 162)

60 - Farine de froment. (p. 162)

61 - Veillée ludique organisée sur le modèle des veillées mortuaires au cours desquelles on rit, on bavarde, on boit, on chante et surtout on récite des contes créoles. (p. 165)

62 -. Cri d'ouverture des contes créoles servant également à relancer l'attention dans le cours du récit. (p. 165)

63 - Réponse rituelle aux devinettes créoles. (p. 165)

64 - Synonyme de "Krik". (p. 166)

65 - Proverbe créole signifiant que quand on rend service à quelqu'un, ce dernier est censé vous rendre la pareille. (p. 171)

66 - Célèbre orchestre cubain des années 1950-1960. (p. 175)

67 - Nom donné aux Antilles à la résistance pendant la guerre de 39-45. (p. 181)

68 - Proverbe créole. (p. 181)

69 - Son sexe. (p. 181)

70 - Téléphone arabe. (p. 184)

71 - Sept cent francs d'aujourd'hui. (p. 193)

72 - Boisson sucrée à base de feuilles d'oranger. (p. 199)

73 - Collier en forme de chaîne de bagnard. (p. 210)

74 - 60 000 francs d'aujourd'hui. (p. 211)

75 - Expression haïtienne désignant les personnes enterrées. (p. 213)

TABLE

Achevé d'imprimer sur rotative
par l'Imprimerie Darantiere à Dijon-Quetigny
en janvier 2008

Dépôt légal : mars 2003
N° d'impression : 27-1924

Imprimé en France